Le **COMBAT** de ma vie

Distribution pour le Canada:

QUÉBEC·LIVRES
QUÉBECOR MEDIA

2185, autoroute des Laurentides
Laval (Québec) H7S 1Z6
Téléphone: (450) 687-1210
Télécopieur: (450) 687-1331

Distribution pour la Suisse:
Diffusion Transat S.A.
Case postale 1210
4 ter, route des Jeunes
1211 Genève 26
Téléphone: 022 / 342 77 40
Télécopieur: 022 / 343 46 46

Le COMBAT de ma vie

DOMINIQUE DUFOUR
LISE GIGUÈRE

Si je vieillis,
c'est que je suis
en vie...

LES ÉDITIONS
PUBLISTAR
QUEBECOR MEDIA

LES ÉDITIONS PUBLISTAR
Une division des Éditions TVA inc.

7, chemin Bates
Outremont (Québec) H2V 4V7

Directrice des éditions :	Annie Tonneau
Directeur artistique :	Benoît Sauriol
Révision :	Paul Lafrance, Marie-Claude Gagnon, Corinne De Vailly
Couverture :	France Lemire
Infographie :	Roger Des Roches, SÉRIFSANSERIF
Photo de l'auteure :	Georges Dutil
Maquillage :	Marie-France Lamontagne
Coiffure :	Léopold Bissonnette
Stylisme :	Francine Legris
Vêtements :	Collection Dibari

Photos intérieures tirées de la collection de Dominique Dufour

Nous reconnaissons l'aide financière du gouvernement du Canada par l'entremise du Programme d'aide au développement de l'industrie de l'édition (PADIÉ) pour nos activités d'édition.

© Les Éditions TVA inc., 2002
Dépôt légal : troisième trimestre 2002
Bibliothèque nationale du Québec
Bibliothèque nationale du Canada
ISBN : 2-89562-068-7

À mon amour.

Merci d'avoir laissé ta lumière briller
sur le porte-lampe…

Introduction

Septembre 1992.

CERTAINS moments demeurent éternellement dans le subconscient. Des moments de bonheur pur et simple. Langoureusement étendue près de mon amour, je vivais pareil instant. Heureuse et comblée comme chaque fois que nous nous aimions follement. En laissant tout doucement le calme revenir en moi, je caressais mon ventre, espérant que cette fois-ci notre passion aurait convaincu un petit être d'y faire son nid.

Puis, le corps encore secoué de soubresauts, mon mari a posé sa main sur ma poitrine. Conscients de l'importance de l'autoexamen des seins, nous avions pris l'habitude de le faire ensemble, avec tendresse. C'était comme un prolongement de nos caresses. Un geste d'amour.

Ce matin-là, Yves a tout à coup arrêté sa caresse. Il venait de poser le doigt sur une toute petite masse. Étonné, il tentait de saisir ce grain de sable, presque une poussière, là dans le quadrant inférieur de mon sein gauche. À mon tour, j'ai voulu toucher. Ayant une bonne connaissance de ma glande mammaire, je savais que ce minuscule pois n'était pas là habituellement. Ce n'était pas normal. Qu'est-ce que ça pouvait bien être ? Mon cœur s'est serré dans ma poitrine tandis qu'un courant d'air frais m'enveloppait. Avais-je vraiment senti un petit amas de chair sous mon sein gauche, dans la partie inférieure, appuyé sur ma côte ?

Inquiète, tout mon bien-être envolé, je me suis levée sous le regard interrogateur de mon homme qui voyait mon regard apeuré. Une fois debout, penchée vers l'avant afin de mieux tâter, le petit grain de sable s'est transformé en une boule dure semblable à une petite perle. Ma journée était irrémédiablement gâchée. La peur avait fait son nid et me fouillait les entrailles.

Le hasard fait parfois bien les choses. Ce matin-là, j'avais rendez-vous avec un cardiologue pour un examen cardiovasculaire. Depuis un certain temps, j'avais des palpitations et mon médecin voulait s'assurer de mon état de santé général. J'en ai donc profité pour lui faire part de ma découverte inusitée. Sans perdre une seconde, il a appelé son confrère gynécologue, qui travaillait dans le bureau voisin.

Et me voilà en compagnie du Dr Gemayel, gynécologue, qui procède à l'examen clinique. Le nodule donne l'impression d'être presque à l'extérieur du sein. Le spécialiste me signe un papier pour passer une mammographie et je lui demande de faire parvenir les résultats à mon médecin.

Je ne suis pas inquiète. Pas vraiment. Pas encore. Je n'ai que 34 ans, et c'est bien jeune pour le cancer. Ça l'était du moins à cette époque. Mais le Dr Gemayel voue une véritable haine au cancer du sein qui lui a déjà ravi sa mère et sa sœur. Pour lui, il n'y a pas une seconde à perdre. Sa recommandation est claire : me faire enlever rapidement cette petite masse, et ce, peu importe le résultat de la mammographie.

« Ne gardez jamais rien dans votre sein ! » me dit-il en me laissant partir.

J'étais bien avertie !

Centre de Radiologie Rive Sud inc.
South Shore Radiologists Inc.

NOM   DUFOUR DOMINIQUE

ADRESSE

GEMAYEL K.P. MD
METRO-MEDIC

TÉLÉPHONE

DATE
DE NAISSANCE   58/09/10   34 ans

REF: DUFOUR, DOMINIQUE
ANT:

R.A.M.Q.   DUFD 5859 1015

PROTOCOLE RADIOLOGIQUE

RADIOLOGISTES
M.R. Dufresne, M.D.
W.J. Alexander, M.D.
S. Gareau, M.D.
G. Domingue, M.D.
G. Duckett, M.D.
J. Gagnon, M.D.
R. Pinard, M.D.
A. St-Jacques, M.D.
Y. Mayrend, M.D.

CONSULTANT
EN RADIOLOGIE
DENTAIRE

D. Forest, D.D.S.

*** REF: (92/10/07) 066 1/1 8143
MAMMOGRAPHIE BILAT-

Cliniquement, on peut palper un tout petit nodule au niveau
du quadrant inféro-interne du sein gauche.
Ce nodule n'est pas visible en projection latérale.
En projection cranio-caudale cependant, dans la région
du quadrant inférieur para-médian interne du sein gauche,
nous notons une petite opacité ovalaire d'approximativement
9 mm de diamètre, à contours nets et réguliers, qui ne
contient pas de micro-calcification.
Ce nodule a les caractéristiques d'un petit kyste bénin.
Par ailleurs, la texture des tissus mammaires est normale
compte tenu de l'âge de la patiente.
Il n'y a pas d'autre masse individualisée ou de micro-
calcification suspecte de malignité.
La circulation est symétrique.
Il n'y a pas d'évidence d'adénopathie axillaire.

CONCLUSION: Image suspecte d'une petite lésion kystique
bénigne au niveau du quadrant inférieur para-
médian interne du sein gauche.
Il n'y a pas de signe de lésion tumorale ou
autre pathologie mammaire évolutive.

PAGE   1

100, Place Charles-Lemoyne, bureau 264, Longueuil, Qc • Télécopieur: 670-4859 • Tél.: 670-3102
MÉTRO STATION LONGUEUIL

*Le rapport médical
qui bouleversa ma vie.*

Chapitre 1

De bonnes nouvelles

UNE semaine plus tard, me voilà dans le cabinet de radiologie, à Longueuil. L'examen terminé, je m'apprête à me rhabiller quand on vient m'avertir que le médecin désire m'examiner de nouveau. La peur et la crainte m'envahissent. Il me semble que les médecins ne revoient pas systématiquement les patientes après une mammographie. Et s'il allait m'annoncer que j'ai le cancer? Tout d'un coup, là, seule dans mon cubicule, vêtue d'une petite jaquette bleu pâle délavée, je saisis toute la signification du mot cancer.

Mais non, les nouvelles sont bonnes. Le médecin a la radiographie dans ses mains et m'explique que l'image révèle une masse bénigne de 9 mm. Ce n'est pas très gros.

En souriant, gentiment, il me dit: «Ça ressemble à un kyste, mais ça pourrait aussi être un fibroadénome, la plus fréquente des tumeurs bénignes du sein, surtout chez les jeunes femmes. Quoi qu'il en soit, ne vous inquiétez pas. En tout cas, moi je ne suis pas inquiet, la masse est très uniforme.»

Un kyste, un kyste… tralala la lère… Je suis euphorique. J'appelle Yves immédiatement pour le rassurer. Je me sens légère. Je plane presque au volant de ma Toyota.

Libérée de toute crainte, je classe vite l'incident dans un petit tiroir de ma tête et je laisse la vie reprendre ses droits. Cela m'est d'autant plus facile qu'un grand bonheur m'arrive. Je suis enceinte. Depuis le temps qu'on le souhaitait, qu'on le désirait ce petit être. Il fait enfin sentir sa présence. On est heureux comme des enfants. Malgré tout, lorsque je rencontre mon gynécologue, le Dr Cérat, je lui parle de cette petite masse et je lui fais part de la recommandation du Dr Gemayel de ne rien garder dans mon sein. Il me conseille cependant d'attendre après l'accouchement. «Tu as déjà fait une fausse couche. Ce n'est pas le temps de subir une anesthésie. On va mettre toutes les chances de notre côté pour mener cette grossesse à terme.»

Je décide donc illico que l'opération se fera après la naissance du bébé. Mais, en décembre, mon utérus expulse ce tout petit grain d'humanité qui tentait de se faire un nid dans mon ventre. Aurait-il sacrifié sa vie pour sauver celle qui a bien failli devenir sa maman? L'histoire ne dira jamais ce qui serait arrivé si j'avais attendu encore six mois avant de me faire enlever cette masse.

Car, quand je palpe de nouveau mes seins, le petit pois a plutôt, maintenant, la grosseur d'une bille. Là, une alarme se fait entendre.

Mais les Fêtes approchent, avec tout ce qui les entoure, et encore une fois je remets à plus tard mon projet de me débarrasser de cette masse. Après tout, je ne suis pas malade.

Je ne fais qu'obéir aux craintes d'un médecin sans doute un peu alarmiste.

Pourtant, au fil des jours, je remarque une différence sur mon sein. On dirait qu'une petite fossette s'est formée. Je ne m'inquiète pas vraiment. À vrai dire, je trouve même cela plutôt drôle, ce petit trou dans mon sein. Aujourd'hui, je sais que j'aurais dû m'en inquiéter: la masse avait alors plus de 2 cm.

Au début de janvier, je mange avec ma belle-maman à qui je raconte toute l'histoire. Je lui confie les inquiétudes du médecin et lui avoue que je n'aurai plus la tranquillité d'esprit tant que je ne me serai pas fait enlever cette petite boule de chair. Je suis bien décidée à me rendre chez un médecin. Comme elle a déjà travaillé pour un plasticien, le Dr Papillon, ma belle-maman me suggère de prendre rendez-vous pour moi. Après tout, qui, mieux qu'un plasticien, peut faire disparaître un léger défaut esthétique?

Le Dr Papillon n'étant pas disponible, c'est le Dr Jean-François Mercier qui m'accueille, m'examine, et me donne finalement un rendez-vous, la semaine suivante, en clinique externe pour une chirurgie sous anesthésie locale.

Lorsque la journée arrive, je ne suis pas nerveuse. Dans la petite chambre où je me repose, je ne pense qu'à une chose: être bien alerte afin de tout observer. Que voulez-vous, j'adore regarder les documentaires médicaux à la télévision. Les salles d'opération et les chirurgies me fascinent. Le seul moment où ça me donne un frisson, c'est lorsqu'ils coupent la peau, mais pour le reste, je veux tout voir. Je suis si curieuse! De plus, pas question de ne rien voir de ce qui m'arrive.

L'opération se déroule très bien. Je ne sens pratiquement rien, sauf quelques brûlures et de légers picotements. Le reflet des lunettes du docteur est bien utile. Il me permet de suivre tous ses mouvements. En fait, c'est tellement banal que je discute avec lui de faits anodins pendant l'opération. Quand tout est terminé, j'insiste pour voir la masse.

Ce n'est pas tellement gros, environ de la taille d'une pièce de 2 $. Ça ressemble à la chair d'une poitrine de poulet avec le gras jaune tout autour. Le chirurgien tâte habilement ce morceau de chair, devant moi, à la recherche d'indices lui permettant de se faire une idée du diagnostic avant l'analyse en laboratoire. « C'est beau, c'est rose, ça ne semble pas cancéreux, mais de toute manière, on l'envoie pour analyse. On aura les résultats dans 10 jours. »

Puis l'infirmière appose un autocollant avec l'inscription « STAT » (ça veut dire urgent) sur la fiole avant de la déposer sur un plateau. C'est tout. Pas plus compliqué que cela. Je ressors vers midi, le nez en l'air, et je décide d'aller rejoindre mes copines chez Katsura, notre restaurant japonais préféré. Je suis en pleine forme, à part un petit étirement dans le sein. Ce qui ne m'empêche nullement de m'empiffrer de délicieux sushis.

Finalement, j'ai bien aimé ma journée. Je crois que j'aurais fait une bonne assistante en chirurgie. En tout cas, me voilà débarrassée de cette petite masse qui, il faut bien l'avouer, m'inquiétait un tout petit peu. Si le Dr Gemayel n'avait pas été aussi alarmiste, aussi !

Chapitre 2

Le verdict

Dix jours plus tard, me voilà de retour à l'hôpital pour me faire enlever mes points. En arrivant, je remarque immédiatement que la secrétaire, une amie de ma belle-mère, n'est pas comme d'habitude. J'ai le sentiment qu'elle s'est levée du mauvais pied. Elle ne me parle pas, ne me sourit pas. En fait, on dirait qu'elle m'évite. Mais je ne fais pas le lien avec le fait qu'elle, elle connaît les résultats. Elle sait déjà ce que va m'annoncer le médecin.

Je suis calme et détendue en entrant dans le bureau et, selon mon habitude, je fais une petite blague. «Est-ce que vous m'enlevez les points ou si on jase avant?»

C'est alors que je remarque que lui aussi est étrange. Une araignée dont j'ignorais l'existence semble prendre forme à l'intérieur de moi, refermant ses pattes autour de ma poitrine. Mon subconscient a déjà compris ce que mon conscient refuse de voir. Qu'est-ce qu'ils ont tous aujourd'hui?

«Vous avez les résultats, ce n'est pas cancéreux?

– Justement si, Dominique, c'est cancéreux.»

Le verdict vient de tomber : cancer du sein. Mon sourire s'effondre. L'araignée sort ses griffes et me déchire l'intérieur. Une énorme boule enfle au fond de ma gorge. Mon Dieu, je vais étouffer ! J'ai tout juste le bout des fesses sur la table d'examen. Je tente de me réajuster, mais mes jambes ont disparu pour laisser place à deux guenilles inutiles. Je suis engourdie, paralysée, figée, foudroyée. C'est la pire chose que j'aie entendue de toute ma vie. Dans mon cerveau, c'est l'affolement total. On dirait que mes neurones viennent de recevoir une décharge électrique. Affolés, ils vont dans tous les sens, incapables de retrouver leurs repères. Je n'arrive plus à réfléchir. Tout se bouscule. Les mots me parviennent assourdis comme au travers d'une paroi molletonnée.

Tout à coup, je reprends pied. J'ai certainement mal entendu. Ou, pire encore, ils me font une blague. Elle serait de mauvais goût, certes, mais c'est une blague.

«Ça ne se peut pas. Vous m'aviez dit que tout avait l'air beau.

— Malheureusement, 10 % des masses qui reviennent du labo sont cancéreuses.

— On a regardé la masse ensemble, vous et moi. Je l'ai vue. Elle était toute rose et vous m'avez dit que c'était probablement un kyste.»

Puis tout d'un coup, tous mes neurones s'alignent dans la même direction et se figent en un même mouvement. Comme de petites majorettes bien entraînées, ils chorégraphient le mot : CANCER. Dans mon imaginaire, le spectre de la mort commence sa farandole effrénée : cancer = mort, cancer = mort.

La Faucheuse semble sourire de contentement à la vue d'une nouvelle proie.

Un manteau glacial m'enveloppe, une peur atroce se répand de la racine de mes cheveux jusqu'au bout de mes pieds. Un long frisson me secoue. Je tombe dans une sorte d'irréalité, un espace-temps ignoré jusque-là. Je suppose que tous ceux qui découvrent qu'ils sont en danger de mort ressentent ce froid mortel, ce frisson glacial, et font une petite visite dans ce néant où la vie ne tient plus qu'à un fil si mince, si ténu.

Combien de temps me reste-t-il? Je vais mourir, moi, Dominique Dufour, 34 ans. Je rêve. NON! Que s'est-il passé? Pourtant, ma mammographie était négative?

Puis, lentement, le sang recommence à circuler à vitesse plus normale dans mes veines. J'argumente. Je suis certaine qu'on a fait une erreur. Je cherche à m'accrocher au moindre indice. Calmement, avec douceur et compréhension devant la panique qui m'assaille, le médecin tente de m'expliquer que j'ai la malchance de faire partie des 10 % des examens qui sont de faux négatifs. Faux négatifs, non, mais! Je ne peux pas avoir le cancer. JE NE VEUX PAS avoir le cancer. Je ne VEUX PAS mourir. AU SECOURS!

Comprenant mon affolement, il tente de se faire rassurant, encourageant, mais rien n'y fait. J'ai assurément basculé dans le négatif.

«On a de beaux taux de réussite aujourd'hui. Près de 85 % des femmes survivent au cancer du sein.

– Qui vous dit que je ne serai pas dans les 15 % qui en meurent?»

Une sœur de ma mère était morte du cancer. Qui dit que je ne serai pas comme elle? C'est héréditaire, non? Ne suis-je pas plus à risque, avec un cas de cancer dans ma famille?

Je me sens comme une toute petite fille. Je boude presque. Dans ma tête, la farandole continue: cancer = mort, cancer = mort. Il doit trouver l'erreur. Ils se sont trompés. J'en suis certaine. Je ne démords pas de ce refus. Mais, le Dr Mercier me tend un papier, une recommandation pour que je puisse rencontrer un de ses confrères. «On va vous diriger vers un collègue oncologue relié à l'Hôpital Saint-Luc. C'est une sommité dans le domaine, le Dr Poisson. Il a fait toute sa médecine sur le cancer du sein.»

C'est fini. Il n'y a plus rien d'autre à dire. Il ouvre la porte de son bureau. Anéantie, incapable de dire un mot, je sors et je vais m'asseoir près de Micheline, la secrétaire. J'ai l'air d'un zombie. Je ne pleure pas. Il me semble que si je pouvais hurler, l'étau qui me serre la gorge diminuerait un peu.

Qu'est-ce que je vais faire?

Elle a les yeux plein d'eau. Elle connaît cette souffrance. Elle essaie de me rassurer, mais que peut-on dire de rassurant à quelqu'un qui vient d'apprendre qu'il a le cancer? Elle me répète tout ce que le médecin vient de me dire au sujet du Dr Poisson. Et surtout elle me dit de garder confiance. Confiance, mon œil!

Quand j'arrive dans le stationnement pour retrouver mon automobile, je suis surprise de constater que rien n'a changé. Autour de moi, tout est comme je l'ai laissé, il y a moins d'une heure. Pourtant, plus rien n'est pareil.

Je voudrais tellement revenir en arrière! Être hier soir, alors qu'Yves et moi nous disions à quel point nous nous aimions et à quel point nous étions gâtés par la vie. Ironique, n'est-ce pas?

Dans l'auto, je n'ai qu'une idée: appeler Yves, mon mari. Il est fort, lui. Il va me rassurer. Il va savoir quoi faire. Mieux encore, sa voix va me réveiller et je vais me retrouver souriante dans ses bras en me rendant compte que tout cela n'était qu'un cauchemar. De but en blanc, je lui lance: «J'ai le cancer, je vais mourir!»

À son tour, je le sens dévasté, mais il tente tout de même de me rassurer:

«Dominique calme-toi. La masse était peut-être cancéreuse, mais on l'a enlevée. ELLE N'EST PLUS LÀ. Tu n'as plus le cancer. On va maintenant te faire des traitements, c'est tout.

– Oui, mais tout d'un coup que j'en ai partout, des masses comme cela?

– Non, le cancer n'est plus là. Il était dans la masse qu'on t'a enlevée. Cesse de t'inquiéter.»

Ses paroles sont réconfortantes. Il est là, mon homme! Il va m'aider. À deux, on va s'en sortir!

«Calme-toi, oublie tout pour le moment. Pense plutôt à te reposer. Tu verras tout cela au retour de notre croisière.»

Oh, mon dieu! La croisière. On est mercredi et le samedi nous devons partir en croisière pour 10 jours. C'est vraiment la dernière chose qui m'intéresse en ce moment. Je ne vois vraiment pas comment je pourrais me détendre, rire et danser avec la mort accrochée à mes pieds comme un boulet à ceux d'un bagnard.

Complètement assommée, dans une sorte d'état second, je retrouve pourtant les réflexes qui me permettent de respecter mes rendez-vous.

Heureusement, mon prochain rendez-vous est chez mon esthéticienne qui est aussi mon amie d'enfance, Sylvie. En arrivant, je m'affale sur sa table d'esthétique et je lui vomis la nouvelle. Je ne pleure pas encore. Je suis sous le choc. Je vais me réveiller. Ce n'est pas vrai. Mon Dieu, je vous en prie, faites que je me réveille.

Sylvie passe ses bras autour de mon cou et, quand je vois ses yeux s'embuer, je ne peux plus retenir mes larmes. Elles se mêlent aux siennes. Ce sont les premières que je verse. Elles ont un goût étrange, un peu irréel.

«Tu vas voir, tu vas t'en sortir, tu ne vas pas mourir. Aujourd'hui, on survit au cancer.»

Tout en continuant à me consoler, elle m'épile les jambes et le bikini et, curieusement, je ne sens rien. Je suis si complètement abrutie que je crois qu'elle pourrait m'enlever les cheveux un à un que je ne m'en apercevrais pas. Il faut dire que très souvent elle suspend son geste pour me prendre dans ses bras et me serrer fort contre son cœur. Je m'abreuve de sa chaleur. J'ai tant besoin d'espoir!

Cette halte dans la douceur de l'amitié m'a fait le plus grand bien. Mais, en ouvrant la porte de notre maison, la réalité me frappe comme un coup de fouet. Combien de temps me reste-t-il? Moi qui suis si heureuse ici. Je ne veux pas partir. Je NE PEUX PAS partir. Il y a encore tant de choses que je veux faire... À nouveau, je m'affole. Puis, je téléphone à ma sœur Claudine. Elle et moi, nous nous sommes beaucoup rapprochées, ces dernières années. Peut-être en raison de notre travail. Quoi qu'il en soit, c'est d'abord à elle que je veux annoncer la nouvelle.

Et c'est là, quand sa voix me parvient au bout du fil, que ça se passe. Là, au plus profond de mon ventre, je sens comme un barrage qui cède, une digue qui s'effondre, et les sanglots me secouent enfin en un véritable torrent. Les larmes sont intarissables. Je hoquète misérablement.

Claudine est catastrophée. Comme son amie Véronique est médecin, elle me demande si je connais le type de cancer que j'ai pour qu'elle puisse s'informer. Curieuse comme je suis, évidemment que je le sais. Ce serait un carcinome caniculaire. Claudine raccroche et appelle immédiatement Véronique. Celle-ci se fait rassurante.

Malgré tout, je reste prostrée, en position fœtale, à attendre l'appel du Dr Poisson. Je ne vis que dans l'attente de ce coup de fil qui va me dire quand on commence les traitements et ce que je dois faire. Je ne dors pas, je ne mange pas, je ne fais que pleurer. Tant et tant de larmes... Je ne pense qu'à une chose. JE NE VEUX PAS MOURIR!

Le vendredi matin, voilà maintenant deux jours que je pleure sur ma mort prochaine sans rien avaler. Mon estomac me fait souffrir. Moi qui ne comprenais rien aux brûlures d'estomac d'Yves et qui le taquinais en lui disant que je pourrais manger des vis, je découvre avec horreur ce mal atroce.

Je souffre terriblement. J'essaie d'écouter la télévision, de lire, mais ma tête est vide. Je suis complètement déboussolée. Un pantin désarticulé.

Finalement, l'appel tant attendu arrive. Le médecin demande à me rencontrer immédiatement. Pas question d'y aller seule. Yves m'accompagne.

La salle d'attente est pleine. Il doit bien y avoir une vingtaine de personnes. Manquant d'assurance, je m'avance vers la secrétaire, me présente et lui mentionne que le médecin m'a dit qu'il me verrait dès mon arrivée. Elle m'invite à m'asseoir et je me demande si je devrai patienter longtemps. J'ai l'impression d'avoir atteint mes limites et que je vais exploser d'un moment à l'autre. Mon angoisse est palpable.

Au bout d'une quinzaine de minutes, la porte du bureau s'ouvre, le médecin apparaît et il m'appelle. En entrant dans la petite pièce, je tremble comme une feuille. Il ne fait pas froid pourtant. C'est nerveux. J'ai peur. Assise en face de cet homme dont les gestes sont lents et étudiés, ma panique augmente. Il ouvre mon dossier, le regarde au complet, l'étudie. Ça prend une éternité. Je voudrais le frapper. Lui dire que je n'ai PAS UNE SEULE MINUTE À PERDRE. Ça hurle en dedans de moi.

Après m'avoir demandé de tout lui raconter depuis le début, il procède à l'examen clinique. Il a les mains chaudes et douces. Allez donc savoir pourquoi, ça me rassure. Il m'annonce enfin qu'on va, tout de suite, me faire commencer un traitement qui s'appelle le Tamoxifen. Et, il me suggère de partir en voyage puisqu'il ne peut pas m'opérer tout de suite étant donné qu'il part pour un congrès en Europe.

Puis, avec ses mains chaudes, il me tapote gentiment le côté, comme on ferait pour consoler un enfant : « Ne vous inquiétez pas trop, trop. Et surtout, profitez bien de vos vacances. Reposez-vous. Je veux vous retrouver en forme. À votre retour, on va opérer à nouveau dans la même cicatrice pour ne pas trop vous charcuter (il sourit en me regardant par-dessus ses lunettes). On va regarder l'état des ganglions et s'assurer que le médecin a bien tout enlevé. » Puis, il nous donne congé en nous souhaitant un très beau voyage.

Comment est-il possible de croire qu'on puisse avoir le cœur à rire et à s'amuser quand on boucle sa valise pour faire ce qui risque d'être la toute dernière croisière de sa vie ?

Chapitre 3

Un triste départ

POURQUOI avait-il fallu que cette nouvelle nous tombe sur la tête au moment de partir pour cette croisière, la première qu'Yves et moi allions faire ensemble? Nous en avions tellement rêvé. Mais, dans nos rêves, nous n'avions vu que la joie, le bonheur, le soleil, l'amour. Jamais la mort n'avait été invitée. Pourtant, elle serait là, tapie dans l'ombre, toujours prête à envoyer son alliée, la peur, me grignoter un peu les entrailles.

La mort m'a toujours fait peur. J'ai même déjà consulté un psychologue pour me guérir de crises de panique qu'elle m'occasionnait. Je me souviens même m'être déjà arrêtée au bord de l'autoroute, prête à bondir hors de mon auto et crier: «Je vais mourir! Faites quelque chose, je vais mourir!»

Je n'avais que six ans la première fois où j'ai réellement compris ce que mourir voulait dire. Je n'ai jamais pu oublier l'émotion qui m'a assaillie quand j'ai vu Philippe Tolénard, mon compagnon de classe, allongé dans son petit cercueil. Ce n'était plus le Philippe si gentil qui faisait équipe avec moi pour les travaux. Je ne le reconnaissais plus. Et puis, je n'aimais pas la couleur de sa peau.

Philippe était parti souriant un vendredi soir pour le congé scolaire et le lundi matin, en classe, on nous avait annoncé qu'il s'était tué dans un accident d'auto. Jusque-là, la mort n'avait jamais fait partie de ma vie. Je ne savais pas trop ce que c'était. Après tout, je n'étais qu'une enfant.

Puis, on a emmené tous les élèves au salon funéraire pour lui dire un dernier au revoir. Je me souviens de cet immense endroit si froid et du petit cercueil entourée de fleurs, là-bas tout au fond. Comme j'ai toujours été plus grande, j'étais placée en queue de file, ce qui me donnait encore plus de temps pour bien observer.

Je voyais Philippe de loin. Je ne pouvais pas détacher mes yeux de son visage et de son corps immobile, allongé dans une boîte, sa tête posée sur des tissus de satin blanc. Je regardais sans comprendre. Je ne reconnaissais pas mon petit compagnon dans cet être rigide comme une statue. Je me rappelais son sourire, ses gestes, ses blagues. Il me semble que ce parcours a été long, si long. C'était mon premier contact avec la mort. J'en suis restée traumatisée. J'étais sans doute trop jeune ou trop sensible, je ne sais pas, mais je suis aujourd'hui totalement contre le fait de montrer un cadavre à un enfant. Il suffit d'avoir à composer avec le fait que la mort, c'est la perte de quelqu'un qu'on aime. On n'a pas besoin de voir un cadavre pour comprendre.

Longtemps, par la suite, j'ai fait des cauchemars. Je parlais toujours de Philippe, je le voyais partout, immobile, figé dans le temps. Est-ce ce souvenir d'enfance qui m'a ensuite causé ces paniques et cette peur de la mort? Je ne sais pas, mais il n'est pas question que les gens voient mon cadavre. Je veux qu'ils se souviennent de moi comme je suis maintenant. Et puis, je n'ai pas envie de pourrir dans la terre.

Yves, tout entier absorbé par le plaisir de partir en vacances, de m'éloigner de la maladie et de profiter de ces quelques semaines pour être ensemble et nous aimer, n'a évidemment pas suivi le parcours sinueux de mes pensées. Aussi, il tombe des nues quand je lui annonce : « Yves, je veux que tu me fasses incinérer. Et puis, tu vas mettre une annonce dans le journal avec ma photo et l'heure du service. »

Quelle tête il fait, mon homme! Étonné d'abord, triste ensuite, mais je crois qu'il comprend que j'ai besoin de régler ces petits détails. Ça me sécurise. Je tiens encore les commandes. Je peux encore décider. Tout n'est pas perdu.

De toute façon, en secret, depuis quelques jours déjà (une habitude que je garde encore aujourd'hui), je consulte la chronique nécrologique dans *La Presse*. Je regarde les visages et je vérifie de quoi les gens sont décédés et à quel âge. Je jauge ma vie selon la mort de ces inconnus. S'ils ont mon âge, je me dis que ça pourrait être moi et, lorsqu'ils sont plus âgés, je compte les jours, les mois ou les années qui me restent. Ça peut sembler macabre, mais je cherche par tous les moyens à me raccrocher à quelque chose. J'essaie de rendre la mort uniforme, juste, équitable. De cette façon, elle ne pourra pas m'atteindre.

Dans l'avion qui nous conduit vers Miami, je suis songeuse. Yves respecte mon silence. D'autant plus facilement qu'il n'a jamais vraiment aimé les avions. Puis, en plein ciel, un fol espoir m'envahit soudain. Maman, ma petite maman qui passe l'hiver en Floride avec papa. Elle a été si dévastée quand je lui ai téléphoné pour lui apprendre la mauvaise nouvelle. J'ai, tout à coup, la certitude qu'elle sera à ma descente d'avion pour m'accueillir et me serrer dans ses bras quelques minutes avant qu'on monte sur le bateau. Cette pensée réconfortante chasse toutes les autres. Quand j'imagine la scène, les larmes brouillent mes yeux. Je souhaite tellement qu'elle ait, comme moi, envie que je redevienne sa toute petite fille, même si ce n'est qu'un instant. Les mamans savent toujours comment guérir. Peut-être qu'elle saura ce qu'il faut faire.

Quand l'avion se pose, maman est là. Elle a même réussi à passer la barrière interdite à ceux qui ne sont pas passagers. Comment a-t-elle pu faire cela? Je ne sais pas et ce n'est pas le plus important. ELLE EST LÀ! C'est tout ce qui compte. Elle me prend dans ses bras et je pose mon nez dans son cou. En une fraction de seconde, je m'abreuve à son odeur, sa chaleur, sa tendresse. La mort s'enfuit devant la menace que représente l'amour de maman! Comme si, en ouvrant ses bras, elle avait créé une bulle protectrice où plus rien ne peut m'atteindre.

Mon père est là également, mais lui, il a obéi aux consignes et n'a pas traversé. Il me prend dans ses bras à son tour. Il ne dit rien, mais je le sens bouleversé. Je n'ai jamais été très près de mon père, car il était souvent absent. Mais là, à ce moment précis, je perçois toute la force de son amour. Un calme tranquille, une force vive et, en même temps, une fragilité que je sens poindre sous ses joues plus rugueuses.

Nous avons peu de temps. Très peu. Trop peu. Mais ce simple contact avec mes parents me fait un bien immense. Je ne sais pas s'ils se doutent à quel point ils m'ont rendue heureuse ce jour-là.

Rassérénée, souriante, je monte à bord du bateau en me faisant la promesse d'oublier mes peurs et de faire confiance à la vie. Mais, malgré toutes mes bonnes dispositions, je n'arrive pas à me mêler totalement aux autres passagers.

Dès notre premier jour, on fait la connaissance d'un couple âgé. Ils ont tous deux 86 ans, ils dansent et s'amusent. C'est beau de les voir. C'est plaisant. Un nouveau sentiment s'empare de moi. Je les envie. Je voudrais moi aussi vieillir avec Yves. Et là, plus rien n'est assuré. Encore une fois, les larmes se fraient un chemin vers la sortie qu'elles connaissent maintenant si bien. Je sors mes lunettes de soleil.

Je les porterai tout le temps et personne ne devinera leur double emploi : camoufler mes yeux rougis et bouffis et les protéger du soleil. Sans doute les autres passagers me trouvent-ils un peu distante, peut-être même hautaine ? Qu'importe. J'ai beau essayer de faire bonne figure, d'être amusante et gentille, le cœur n'y est pas. Je n'ai qu'une envie : retrouver mon médecin et entreprendre les traitements. Agir pour m'en sortir. Là, je me sens inutile et il me semble que je perds du temps.

Tout au long de ces 10 jours, personne ne devinera mon douloureux secret. Il faut dire que je privilégie la solitude. J'aime me retrouver sur le pont, à lire ou tout simplement à laisser le bateau bercer ma peine et mon impuissance.

Évidemment, j'ai le cœur gros. J'observe les gens et de gros relents de sanglots me secouent régulièrement. Je me demande si tous ces gens insouciants connaissent la chance qu'ils ont d'être en vie. Moi, c'est sans doute la dernière fois que je fais ce genre de voyage. Je ne suis pas certaine de mourir au cours de la prochaine année, mais je sais que je serai en traitement, le système immunitaire à plat, faible, sans cheveux.

Et la mort revient me hanter. Mon passé, aussi. Ne dit-on pas que ceux qui meurent revoient leur vie en quelques secondes? Moi, j'ai du temps. Au moins 10 longs jours à moi. Je m'étends sur le pont et, au rythme des vagues de cette mer plutôt déchaînée, je laisse les souvenirs affluer à mon esprit, tandis que mes yeux tentent de photographier les beautés du moment présent.

Chapitre 4

Made in Japan!

JE suis née le 10 septembre 1958 à l'Hôpital Très-Saint-Rédempteur de Montréal. Maman m'a toujours dit que je suis le bébé qu'elle a eu le plus de facilité à mettre au monde. Elle m'a toujours fait rire en racontant son accouchement: «Quand je suis arrivée à l'hôpital, le médecin m'a examinée et m'a demandée comment je me sentais. Il avait fait plusieurs accouchements dans la matinée et il n'avait pas encore eu le temps de manger. Comme je me sentais très bien, il m'a assise sur le bord du lit et m'a demandé de patienter pendant qu'il irait manger un sandwich. Je l'ai donc attendu, les deux jambes croisées. Quand il est revenu, j'étais prête à accoucher.»

Je suppose que je devais être pressée de faire mon entrée car elle n'aurait eu qu'à pousser deux fois et j'étais là. Il faut dire que je ne pesais que 5 livres et 8 onces. Il paraît que lorsque le médecin m'a vue avec tous mes cheveux noirs, ma peau jaune et mes yeux en amande, il se serait écrié: «Made in Japan!»

Si ma mère nage dans le bonheur, ce n'est pas tout à fait le cas de mon père. Je suis la troisième fille. Il aurait bien aimé avoir un garçon. Son vœu sera comblé deux ans plus tard, lorsque naîtra Benoit, mon unique frère. Heureusement parce que le cinquième essai a donné encore une fille, la petite Élizabeth.

J'étais un beau bébé, avec de beaux grands yeux qui ressemblaient à de gros raisins mauves. Maman raconte qu'elle se faisait arrêter dans la rue parce que les gens voulaient voir leur couleur. D'ailleurs, encore aujourd'hui, je sais que la qualité principale de mon visage, ce sont mes yeux, qui selon les journées sont gris ou très bleus.

Je n'ai que peu de souvenirs de mon enfance. Mais lorsque je regarde mes photos, j'ai l'air heureuse. Je ressemble à une petite poupée et je prends déjà des poses. Je présume que j'adorais me faire photographier. J'étais heureuse, sans problème véritable. Je devais avoir cinq ans lorsque mes parents ont acheté une maison dans le domaine Renaud, à Laval. C'était un bungalow et nous, les cinq enfants, avions le sous-sol pour nous amuser.

Moi, mon jeu préféré, c'était Barbie. Je ne me lassais jamais de la déshabiller et de la rhabiller, de la coiffer, de la maquiller. Je suppose qu'un psychologue aurait détecté que j'avais déjà des dispositions pour être mannequin ou, à tout le moins, pour naviguer dans le monde de la mode. J'adorais tout ce qu'on créait pour elle. Les vêtements scintillants, les paillettes, les robes de bal. D'ailleurs, pendant très longtemps, mes sœurs m'ont surnommée «Barbie».

J'avais une amie qui était aussi fanatique que moi. On passait tout notre temps libre à construire des châteaux pour nos Barbie. On utilisait des pochettes de disque (des 33 tours) qu'on collait ensemble. Ça faisait de belles grandes maisons. Au moins 5 pieds sur 10 pieds. Je me souviens, entre autres, de l'album de Pink Floyd de mes sœurs sur lequel on avait collé des kleenex, sans doute pour faire des rideaux. On était créatives, on utilisait tout ce qu'on trouvait pour offrir à nos Barbie le luxe auquel elles avaient droit. Je me souviens entre autres des plats Tupperware de ma mère qui faisaient des piscines formidables.

Et puis il y avait grand-maman Dufour qui se mettait aussi de la partie et nous aidait à leur confectionner des vêtements originaux et exclusifs, il va sans dire. Sans doute que ça l'amusait de retrouver ses jeunes années. Je me rappelle un fourreau en tricot orange et vert que j'avais cousu avec elle. Je revois encore mes gestes et je peux ressentir la fierté qui m'habitait quand, pour la première fois, j'ai glissé ce vêtement sur le corps de ma Barbie et qu'ensuite je lui ai mis ses petits souliers verts. C'était ma création! Et celle de grand-maman Dufour aussi, bien sûr!

Connaissant ma passion pour Barbie, plus personne ne se cassait la tête pour m'offrir des cadeaux. Surtout qu'on savait que toute la panoplie de ces poupées me rendrait folle de joie. J'ai donc eu le vélo de Barbie, la table à cosmétiques de Barbie, le téléphone de Barbie, sans oublier les vêtements de Barbie de ma cousine, qui commençait à se trouver trop vieille pour ces jeux de gamine et qui me refilait les valises de ma petite idole. Pour moi, c'était un vrai bonheur!

Quelle peine j'ai eue quand, vers l'âge de 19 ou 20 ans, j'ai constaté que maman avait donné mes Barbie! Je me souvenais d'avoir tout rangé dans la garde-robe de cèdre et je savais qu'elle y avait fait du ménage. Un jour, je me décide à ressortir mes poupées, comme cela, juste pour les revoir, pour faire revivre un passé pas si lointain:

«Maman, où sont mes Barbie?

– Ben voyons, Dominique, je les ai données.

– QUOI? T'as donné mes Barbie?»

Je n'en revenais pas. Je lui en ai voulu sans bon sens. C'était vraiment important pour moi. J'y pense encore et ça me brise le cœur de me dire que maman a donné mes Barbie à quelqu'un que je ne connais pas.

Un jour, alors que je travaillais comme mannequin, je me suis retrouvée à jouer le rôle d'hôtesse pour la compagnie Mattel, au Salon des jouets. Évidemment, il y avait une section entière consacrée à Barbie. J'ai bien cru que j'allais capoter. J'avais l'impression de redevenir une gamine. J'aurais voulu tout emporter avec moi. Barbie, c'était MA poupée préférée.

Étrange, ce souvenir. Encore aujourd'hui lorsque j'achète des jouets, je ne peux pas faire autrement qu'aller fouiner dans le rayon des Barbie, les regarder, admirer tout ce qui compose leur univers. Je trouve toujours cela aussi beau.

Allongée sur le pont du navire, les lunettes collées sur le nez, j'observe les belles dames dont les courbes sont moins extravagantes que celles de ma poupée aux longues jambes. La beauté a toujours été très importante pour moi. Et, sans transition, je replonge dans mon passé et redeviens une toute petite fille qui trottine sur les pas de celle qui incarnait alors la beauté parfaite: MAMAN!

Dieu qu'elle était belle, ma maman! Et elle l'est toujours.

Ma mère, c'était ma reine. Je voulais tellement lui ressembler, devenir exactement comme elle. Pour moi, c'est le souvenir de l'ultime élégance. De la beauté pure et enchanteresse!

Chapitre 5

Une journée magique

MES parents ont toujours eu beaucoup d'amour l'un pour l'autre et pour leurs enfants. Ça, je le sentais. On vivait dans un foyer uni, même si mon père arrivait souvent tard le soir et n'était pas très présent.

Il faut dire qu'il travaillait beaucoup. D'emballeur chez Steinberg, il a rapidement grimpé les échelons pour devenir acheteur de viande et finalement être nommé vice-président de Provigo. Il a toujours œuvré dans l'alimentation. Il a été tour à tour fondateur de Bœuf Mérite (l'union de Métro et de Richelieu dans la viande), puis de Proviviande.

Il avait aussi la passion du golf. Il était d'ailleurs un champion amateur au Québec. D'aussi loin que je me souvienne, il a toujours été membre d'un club de golf privé, le Islesmere. C'était dispendieux, mais il adorait ça. Et puis, il aimait aussi les courses de chevaux et les cartes. Assouvir ces passions ne l'a cependant jamais empêché de subvenir aux besoins de sa famille.

Tous les samedis soir, mes parents étaient donc invités à des réceptions au club de golf ou bien ils allaient aux courses de chevaux. Pour maman, ces journées étaient l'occasion d'un véritable rituel de beauté. Pour moi, c'était une fascination.

Il lui arrivait d'aller chez le coiffeur pour une mise en plis extravagante, mais souvent, elle lavait elle-même ses beaux cheveux blonds et les enroulait sur des bigoudis. En après-midi, après avoir pris un bain moussant, elle se faisait un manucure en se plaignant qu'elle avait les ongles beaucoup trop courts et friables. Puis, elle enlevait les bigoudis et passait de longs moments à torsader ses cheveux dans des coiffures originales et extravagantes.

Je n'ai jamais compris pourquoi d'ailleurs, puisqu'elle finissait toujours par porter le chignon. Elle disait que c'était la coiffure que papa préférait. Elle aurait tout fait pour lui plaire. Encore aujourd'hui, après plus de 49 ans de mariage, elle cherche toujours à séduire cet homme qu'elle aime profondément. Cet aspect de la vie de couple m'est toujours apparu comme un ingrédient important dans la réussite d'un mariage. Pour maman, le rituel de la mise en beauté revêtait une extrême importance. Et pour moi, c'était une journée magique.

En fermant les yeux, je revois le comptoir de la salle de bains avec ses deux lavabos, son grand miroir et tous les petits pots de crème et les crayons colorés qui m'attiraient irrésistiblement. Je m'assoyais sur le couvercle fermé du siège de la toilette et je la contemplais. J'adorais la regarder se maquiller. Je ne disais pas un mot. Je n'aurais voulu pour rien au monde être chassée de cet antre de la beauté.

Vêtue d'un soutien-gorge et d'un jupon à la taille, blancs tous les deux, elle commençait un patient travail de pinceaux et de crayons. Elle accentuait d'abord ses yeux verts de fards nacrés et dessinait ses lèvres au crayon pour y apposer des couleurs éclatantes. Sage comme une image, je suivais tous ses gestes, même les plus étranges.

Étonnée et ravie, je la voyais se dessiner une nouvelle bouche sur laquelle elle appliquait un rouge vif. Ses lèvres prenaient alors la couleur d'un beau fruit mûr. Puis, elle se tournait vers moi et me décochait son sourire le plus séducteur.

Ce sourire était mon cadeau. Je rêvais du jour où je pourrais, à mon tour, utiliser tous les artifices de la séduction. Comme ma mère, je porterais du rouge à lèvres, du fard à paupières et des sous-vêtements blancs. Mon Dieu que j'avais hâte d'avoir le droit de me maquiller! Ça semblait si agréable toute cette journée à prendre soin de son corps, à se faire belle pour plaire à celui qu'on aime.

Puis venait le choix du vêtement. Quelle tenue allait-elle porter? Et surtout, qu'allait-elle bien imaginer pour ajouter ce petit détail qui ferait toute la différence? Mes parents n'étaient pas riches, et maman n'avait pas beaucoup de vêtements. Mais elle avait du style, un goût très sûr et elle était d'une élégance à toute épreuve. Elle avait le don d'harmoniser ses ensembles et osait être flamboyante en ajoutant un foulard criard ou des bas qui mettraient en valeur ses jambes parfaites.

Quand elle avait choisi, je me précipitais vers les chaussures pour tenter de deviner lesquelles elle prendrait. Ses souliers étaient tous bien alignés sur des étagères spéciales au bas de sa garde-robe. Pendant qu'elle s'habillait, je me souviens du plaisir qui m'envahissait à en essayer quelques paires. Comme toutes les petites filles, j'aimais marcher en talons hauts, mais je devais faire très attention pour ne pas renverser le pied et ainsi déformer le soulier, sinon j'avais droit à son regard réprobateur et à l'obligation de tout remettre en place.

Elle portait toujours quelques bijoux, des colliers surtout, mais aussi son *charm*. Ce bracelet à breloques qui scintillait, s'imposait pas sa lourdeur. Chaque fête était l'occasion d'une nouvelle breloque, offerte par les enfants, donc par papa. C'était un peu sa vie, son histoire, ses amours qu'elle portait ainsi fièrement autour de son poignet.

Quand arrivait le moment de partir, pendant que la gardienne s'occupait de nous, maman faisait alors une dernière retouche à son maquillage et s'aspergeait d'eau de toilette *Miss Dior* de Christian Dior. Les effluves se volatilisaient dans l'air et la note résonnait pour la soirée. Même partie, maman restait présente par cette odeur qui, encore aujourd'hui, réveille en moi le souvenir de ces samedis où, petite fille, je rêvais qu'un jour je posséderais l'assurance, la beauté et l'élégance de ma mère.

Chapitre 6

Une douce enfance

Dans ce survol de mon passé, je vois petit à petit comment se dessinait mon avenir. Encore aujourd'hui, j'aime le maquillage. Pour moi, c'est important. Je ne m'aime pas si je ne suis pas maquillée. Même sur ce bateau, j'essaie de camoufler les ravages des larmes. C'est plus fort que moi. Je suppose que tout ça me vient de mon enfance. Ma mère n'a pas toujours eu la vie facile. Pourtant, quand je la voyais si belle, si élégante, j'imaginais sa vie comme un rêve.

Tous les soirs, juste avant que papa revienne du travail, elle se repeignait et se remettait du rouge à lèvres. Elle se faisait belle pour son homme. Jamais elle ne l'aurait accueilli avec des bigoudis. Puis, elle s'installait au poêle. Papa mangeait un steak tous les soirs, et maman le faisait cuire juste avant qu'il arrive pour qu'il n'ait pas à attendre. Cette odeur de friture était, pour nous les enfants, annonciatrice de son arrivée. On se préparait alors pour l'armoire à bonbons.

Papa avait une dent sucrée et il avait pris l'habitude de cacher des bonbons dans l'armoire du coin. Quand il rentrait, il nous prenait dans ses bras et nous hissait vers le haut des armoires pour que nous puissions en prendre. Il en profitait pour nous bécoter. Oh, les bécots de mon père! Comme j'aimais cela.

C'est vrai que papa m'a beaucoup manqué parce qu'il était souvent absent ou préoccupé par les changements de fonction dans son travail, mais il était quand même là. Je le revois avec ses 5 pieds et 10 pouces, ses beaux yeux clairs et ses maudites oreilles décollées dont j'ai hérité et qui m'ont coûté une chirurgie! J'aimais quand, le soir, il entrait dans la maison et lançait un «BONSOIR!» de sa grosse voix un peu sèche.

Quand mes amis nous voyaient tous devenir sages comme des images lorsqu'il stationnait sa voiture dans le garage, ils l'imaginaient très sévère. En réalité, on le voyait peu et on ne voulait surtout pas le décevoir. On cherchait tellement à lui plaire.

L'été, j'aurais bien aimé partir des fins de semaine en famille avec mes deux parents, mais papa jouait presque toujours au golf. Maman allait le conduire le samedi et le dimanche matin. Elle gardait ensuite l'auto et nous emmenait visiter ma tante ou ma grand-mère. Elle était très autonome, très active.

Je me rappelle être allée magasiner chez Eaton, à Place Ville-Marie, puis à Expo 67. Je n'avais que neuf ans, Élizabeth était dans un petit attelage et c'est Claudine, l'aînée, qui avait la charge de s'occuper des plus jeunes.

Pour moi, maman a toujours été une femme admirable. C'est elle qui nous a élevés, qui a tout fait de A à Z. Je ne sais pas comment j'aurais fait, moi, pour me débrouiller ainsi avec cinq enfants. On la craignait. Pas parce qu'elle était tyrannique, au contraire on ne voulait pas lui déplaire ou la chagriner...

J'ai en mémoire quelques tapes sur les fesses, mais jamais au visage. La discipline était là, mais ce n'était jamais bien grave. Aujourd'hui, j'en ris. Je trouve que nous avons été créé avec un beau petit *bumper*; si une bonne petite claque sur les fesses saisit un peu, elle replace les idées. Il faut dire que je n'étais pas une enfant à problèmes, seulement un peu dans la lune peut-être. Mais quand maman mettait la règle sur le bord de la table et qu'elle disait: «Le prochain qui bouge...», on avait intérêt à se tenir les fesses serrées parce que l'étape suivante, c'était: «Je vais en parler à votre père.» Ça, c'était la menace ultime!

C'était important pour elle qu'on se tienne bien. Elle était fière de ses enfants. Je me rappelle qu'à la fête des Pères il y avait toujours un party au club de golf d'Islesmere, et tous les papas emmenaient leur famille pour un dîner de hot dogs sur le barbecue. Wow, quelle fête! On était si contents d'avoir le droit de marcher sur ce beau grand terrain. On pouvait même prendre les voiturettes parce que personne ne jouait. C'était vraiment la matinée des petits!

Mon père était le champion du club de golf, tout le monde voulait jouer avec lui et il était probablement le plus jeune. Plusieurs des membres du club étaient âgés et leurs enfants étaient grands, ce qui fait que nous, nous étions traités comme des petits princes et princesses.

Maman mettait alors tout en œuvre pour qu'on soit chics. C'était important pour elle qui se qualifiait toujours de plus pauvre parmi les plus riches de cette classe qu'ils fréquentaient. Pour elle, qui était si fière, ça devait sans doute être difficile. Heureusement, elle avait une sorte de don.

Elle trouvait toujours le moyen d'être belle. Il est vrai que sa famille, les Dumais, était renommée pour ses belles grandes filles blondes. Maman était le bébé de 12 enfants — elle avait huit sœurs et trois frères. Il y avait 20 ans de différence entre elle et sa sœur aînée. Elle a donc eu plusieurs exemples d'élégance avant d'avoir atteint l'âge adulte.

Mais honnêtement, je crois qu'elle aurait été belle même avec une poche de patates sur le dos. C'était une belle femme dans tous les sens du mot.

Papa aussi l'admirait. Il me semble encore lui entendre dire qu'elle «sentait donc bon!» Maman le collait alors, mais il la repoussait un peu en lui disant: «Lâche-moi donc!» Il faisait le macho! Pourtant, tous les dimanches soir, ils se couchaient toujours de très bonne heure pour écouter la télé. Nous, on essayait bien de nous glisser entre eux ou de sauter sur leur lit, mais papa, qui était collé sur maman, finissait toujours par nous dire: «Allez-vous-en les enfants! Il est assez tard.»

Moi, je me demandais bien pourquoi il nous éloignait ainsi. Mon cœur se gonfle de tendresse à ce souvenir. Comme ce temps me semble loin maintenant, mais comme je me sens privilégiée de ce que mes parents m'ont donné... Quelle belle enfance ! J'ai été choyée, bien élevée, bécotée et aimée. Que demander de plus ?

Chapitre 7

La petite fille grandit

MALGRÉ ma passion pour les Barbie, j'étais un vrai garçon manqué. Il faut dire que près de chez moi les petits gars étaient plus nombreux que les petites filles. J'allais à l'école avec eux et le soir, dans la rue, on jouait au ballon chasseur. Ils m'acceptaient. J'étais leur *chum* de gars et, même si à cet âge ils devaient commencer à découvrir leur sexualité, ils ne me voyaient pas vraiment comme une fille.

À l'école cependant, c'était différent. Les autres gars, ceux qui ne faisaient pas partie de ma bande, savaient bien que j'étais une fille et ils me regardaient comme telle. Ils ont vite remarqué que je n'avais pas de seins, ce qui m'a valu le surnom de *Flat Nose*. Ça me traumatisait tellement. Là encore, maman a compris ma peine et mon désarroi et a décidé que si la nature n'avait pas été généreuse, un bon soutien-gorge pourrait l'être davantage. On est donc parties magasiner.

Quelle aventure! Jamais je n'oublierai cette première séance d'essayage. Je suis dans la cabine à essayer différents modèles. Ma mère, très pudique, m'aide à les attacher, mais elle fait bien attention à ne jamais regarder mes seins. Elle sait que je suis scrupuleuse et timide et elle respecte ça. Ce n'est pas le cas de la vendeuse qui tient absolument à voir le résultat. Excédée par cette insistance qu'elle juge déplacée, ma mère lui lance d'un ton sans appel: «C'est correct, on va s'arranger toutes seules.»

Dieu ce que je pouvais avoir hâte que mes seins poussent! Il n'y avait qu'un tout petit renflement de la grosseur d'une olive. Je me disais que le jour où j'afficherais une belle poitrine, les gars cesseraient leurs moqueries.

Les menstruations aussi étaient un grand mystère pour moi. À l'âge de 12 ans, alors que ma copine Sylvie et moi revenions de l'école, nous avions surpris la conversation de sa sœur, qui était plus vieille que nous, et d'une de ses amies. Elles parlaient des menstruations. Je ne comprenais rien à tout ce qu'elles racontaient.

En arrivant à la maison, j'ai foncé vers maman et lui ai posé la question. Je n'ai jamais été gênée avec ma mère qui a toujours dit que j'étais probablement la plus curieuse de toutes ses filles. Bien qu'elle n'ait jamais été au devant de mes questions, elle ne les a jamais esquivées non plus. Elle a cependant pris le temps de me demander où j'avais entendu parler de ça et, ensuite, elle m'a remis le livre de Janette Bertrand *Tout sur les menstruations*, me suggérant de le lire et m'assurant qu'ensuite elle répondrait à toutes mes questions. J'ai dévoré ce livre. Janette était avec ses deux filles, Dominique et Isabelle, et elle répondait à toutes leurs interrogations. J'étais fascinée. J'en apprenais tellement sur la femme en devenir que j'étais. Et puis, je découvrais enfin à quoi pouvait bien servir cette fichue boîte bleue sur laquelle je pouvais lire «Kotex» et que ma mère mettait toujours dans son panier d'épicerie. Devant ma curiosité, elle avait toujours répondu : «Quand tu seras une grande fille, je t'expliquerai.»

Maintenant que je tenais ce livre entre mes mains, c'est qu'à ses yeux je commençais à être une grande fille. Mais, en même temps, une angoisse m'assaillait : moi, je n'étais pas encore menstruée! Était-ce normal? Il m'a fallu faire preuve de patience avant le grand jour qui n'est finalement arrivé qu'à la fin de l'été de mes 13 ans. Ce matin-là, je suis sortie des toilettes en criant : «Môman! Ça y est!»

Évidemment, toute la famille a immédiatement compris de quoi il s'agissait!

Même si j'ai vécu ma crise comme tout le monde, je ne crois pas avoir été une adolescente compliquée. Le plus difficile, c'est que je trouvais que je manquais de liberté. Mes parents étaient sévères et s'ils ne m'empêchaient pas de sortir, ils m'imposaient beaucoup de restrictions. À 15 ans, quand j'allais à la danse du vendredi soir, il fallait que je rentre à 22 h. Mais, comme je demeurais assez loin, je devais prendre l'autobus de 21 h 15. La soirée venait à peine de commencer.

Un jour que j'en avais plus qu'assez, j'ai piqué une crise. En faisant ma valise, j'ai lancé : «Si ça continue comme ça, je vais m'en aller!»

Ma mère, gardant son calme, m'a coincée sur le bord de la porte, a déposé ma valise et m'a dit : «Si tu t'en vas, tu t'en vas comme t'es venue, toute nue!»

C'était l'hiver. J'ai reconsidéré la chose. Mais ce manque de liberté me pesait. D'ailleurs, il est à l'origine de ma première peine d'amour. Cher François! On s'était rencontrés à l'école Saint-Jean où j'étais en secondaire II. En le voyant, j'avais eu un véritable coup de foudre. Puis, un jour, il m'a tout simplement demandé si je voulais sortir avec lui. Mon Dieu, comme tout était simple en ce temps-là!

J'avais déjà eu des petits amis, mais là, c'était mon premier «vrai» *chum*. On marchait en nous tenant par la main. Mon cœur s'affolait quand je le voyais. On se parlait des heures au téléphone. Je l'aimais vraiment beaucoup.

Une fin de semaine, il y avait un party chez une des filles avec qui je me tenais. Évidemment, mes parents ont refusé que j'y aille. J'ai donc passé ma fin de semaine à rêvasser à François et à attendre nos retrouvailles à l'école, le lundi. Mais, quand je suis arrivée, il embrassait une autre fille. Je pensais m'effondrer. Je ne comprenais pas ce qui arrivait. C'est là qu'une amie m'a raconté qu'il était venu au party et, comme je n'y étais pas, il avait rencontré cette fille et qu'il sortait maintenant avec elle.

Toute la journée, je n'avais qu'une envie, celle de rentrer chez moi au plus vite. J'avais le cœur si gros! Le soir, je pleurais sans pouvoir m'arrêter, mais je ne voulais dire à personne la raison de cet immense chagrin. Surtout pas à ma mère que je blâmais pour la perte de François.

Cet épisode m'a certainement marquée. Déjà que je ne me trouvais pas belle. Je savais que j'avais de beaux yeux. On me le disait souvent, mais quand je me regardais, il me semblait que toutes les autres filles étaient plus jolies que moi. Pourtant, malgré ce manque d'estime de moi, j'osais participer à des défilés de mode organisés à l'école.

L'un d'eux me revient en mémoire. Nous présentions des maillots de bain. Lorraine était aussi grande que moi, mais elle avait des formes plus féminines. Ce que je pouvais l'envier! Elle avait des fesses, de beaux seins ronds, elle remplissait son maillot, elle. Moi, j'étais grande et mince, je n'avais pas de hanches du tout et, côté seins, je portais un gros 32 AA. En fait, j'avais déjà la silhouette d'une mannequin, mais je l'ignorais.

Devenir mannequin ne faisait pas partie de mes rêves. En fait, je ne savais pas très bien ce que je ferais de ma vie. Comment peut-on demander à une adolescente de 16 ans de décider ce qu'elle veut faire du reste de sa vie?

J'ai songé à m'inscrire à l'Option théâtre de Sainte-Thérèse, mais j'ai vite remarqué que je ne collais pas au style des étudiants de cette discipline qui étaient plutôt *freaks*, alors que moi, c'était le *glamour* qui m'attirait. Je ne portais même pas de jeans. C'est tout dire!

Si j'avais pensé au théâtre, c'est que le goût de cet art m'était venu vers l'âge de 13 ans alors que j'étais sous le charme de mon professeur d'anglais, René Saint-Onge. C'était un jeune enseignant gentil, à la mode, très près des étudiants. Il s'aspergeait d'*Eau sauvage* de Christian Dior. J'ai toujours été sensible aux odeurs. On l'aimait tous beaucoup, moi un peu plus que les autres. Il s'intéressait beaucoup à moi et j'essayais de lui faire plaisir. Je crois que, sans trop le savoir, j'aimais le séduire. Je n'étais pas encore une femme, mais je m'ouvrais à cette réalité.

Il faisait partie du comité organisateur des défilés de mode et des pièces de théâtre et il y avait toujours de la place pour moi. Dans une pièce qu'il avait montée, *Marie et les choses,* où tous les objets étaient vivants, il m'avait donné le rôle du miroir. Il disait que ça me ressemblait. Sans doute avait-il compris que j'étais coquette.

À 15 ans, j'ai même tenté ma chance pour devenir Reine du carnaval de mon patelin. Ce n'est pas tant le titre ou le rôle qui m'intéressait que le fait de pouvoir y gagner de beaux prix. J'ai toujours adoré recevoir des cadeaux. Aujourd'hui encore. J'aime que la vie soit belle et facile. Je n'aime pas les choses compliquées. J'ai toujours été ainsi.

Durant cette même période, je m'entraînais intensivement pour la natation. J'étais bonne. J'avais même déjà mes médailles de sauveteur. Puis est venu le classement pour les Jeux du Québec. On nous classait par catégories d'âges et, dans mon groupe, certaines filles s'entraînaient depuis beaucoup plus longtemps que moi. Malgré tout, je suis arrivée deuxième en nage sur le dos, mais ce n'était pas suffisant pour les Jeux. Ça m'a découragée. Comme l'effort que j'avais fourni ne payait pas tout de suite, j'ai lâché.

C'est un trait de mon caractère. Je suis encore comme cela aujourd'hui. Je ne m'acharne pas. Je sais faire les efforts, mais quand ça ne donne pas de résultat ou que ça devient trop compliqué, j'abandonne. En fait, je me considère comme une gagnante dans la vie. Quand j'entreprends quelque chose, c'est que j'ai un but précis qui est celui de réussir. Si je ne vois pas la possibilité de gagner, je laisse tomber.

Mon rêve de devenir une athlète s'est donc arrêté là. J'ai aussi appris le ballet, ce qui me semblait être quelque chose que j'aimerais, mais un jour la professeure m'a humiliée devant toute la classe. Sans doute avait-elle compris que j'avais du talent et du potentiel et croyait-elle ainsi me motiver, mais ç'a donné le résultat contraire. Elle n'avait malheureusement pas compris que je suis fière et que les coups sur la tête ou les remontrances ne me font pas bien réagir. J'ai besoin de me sentir appréciée pour donner mon maximum.

D'autres contraintes brouillaient également les cartes. C'est ce qui est arrivé avec le piano. J'aimais ça, mais je ne progressais pas. Ni ma mère, ni mon professeur ne comprenaient ce qui pouvait bien se passer.

Un soir, maman m'a demandé ce qui m'arrivait: «Tu n'aimes pas le piano, Dominique?»

Il m'a fallu lui avouer que c'était la peur qui me tenaillait. Durant toute l'heure du cours, je ne pensais qu'au moment du retour à la maison. En effet, lorsque je quittais Mme Pilotte, mon enseignante, elle me surveillait de sa fenêtre. Mais il y avait environ 500 pieds où il lui était impossible de me voir. Je le savais et je mourais de peur, surtout l'hiver quand il fait noir plus tôt.

Je dois avouer que je suis une peureuse. J'ai toujours craint que quelqu'un vienne cogner à ma fenêtre la nuit. Aujourd'hui encore, c'est une hantise pour moi. Je ne sais pas pourquoi. La seule chose qui pourrait expliquer cette peur c'est qu'un soir, quand j'étais petite, il y avait eu un orage et, pendant qu'un éclair déchirait le ciel, le store s'était déroulé d'un seul coup en faisant un bruit qui m'avait affolée.

Maman a compris et ne m'a pas obligée à continuer. Elle savait que j'étais une enfant qui souffrait d'insécurité. J'avais le sommeil léger. Le samedi soir, quand elle et papa revenaient de leur soirée, je me réveillais toujours. Souvent la nuit je l'appelais en prétextant qu'il y avait quelqu'un à ma fenêtre. Maman était douce, patiente et tendre. Elle se levait, me prenait dans ses bras, ouvrait le rideau et me montrait qu'il n'y avait personne.

Paradoxalement, les voyages m'attiraient. Peureuse, mais curieuse. Il y avait là tant de choses à découvrir. Même petite fille, j'aimais aller toute seule en vacances chez ma marraine à La Malbaie. Maman me mettait dans l'autobus à Montréal, je faisais un transfert à Québec et ma tante m'attendait à Pointe-au-Pic. C'était tout un défi. Je suppose que ce sont ces petits voyages et le plaisir que j'en tirais qui m'ont donné envie de voir le monde.

À travers tout cela, le temps filait et les amours se succédaient. C'est étrange, j'ai eu trois François dans ma vie d'adolescente et deux Yves dans ma vie de femme. Le premier François m'avait laissé le cœur brisé. Le deuxième était un beau blond aux yeux bleus. Il jouait de la guitare. Il était grand, doux. C'était un gars très respectueux. Il venait d'une bonne famille et ne cherchait pas seulement à me sauter dessus. Autour de nous, les copains et copines commençaient à faire l'amour. Moi, je n'étais pas prête. Il acceptait cela.

C'est le dernier François qui a vaincu mes résistances. Curieux ce que la mémoire peut jouer des tours. J'ai beau chercher, je n'arrive pas du tout à me souvenir comment j'ai pu le rencontrer. Sans doute au golf puisque nos parents fréquentaient le même club. Mais je sais que je l'aimais. C'était mon amour de jeunesse. Il venait d'une famille à l'aise et il avait tout plein d'amis. Il était tellement sociable! Tout le monde était attiré par lui. Moi, je passais après ses amis, et c'est ce qui créait les plus grandes tensions entre nous. On s'engueulait régulièrement. Je n'arrive même plus à me souvenir du nombres de fois qu'on a cassé.

Et puis il aimait les autos et la vitesse, il roulait comme un fou et j'avais peur. Ça aussi, c'était un sujet de discorde entre nous.

François a tout de même été important dans ma vie. C'est avec lui que je suis allée en Floride. Je prenais l'avion, et lui, son auto. Il était hors de question que je parte avec lui en voiture. On aurait été seuls bien trop longtemps… Mes parents étaient sévères en matière de vertu. Il ne fallait surtout pas qu'on couche ensemble. Mais on ne se gênait pas pour s'embrasser. C'était tellement bon!

J'ai toujours aimé embrasser. Je suis une personne affectueuse, une espèce de nounours. Quelqu'un qui s'approche de moi, me prend par le cou et me bécote partout, j'adore ça! Je me laisserais faire pendant des heures! Et je me laissais faire. C'était important pour moi, même si on n'allait jamais plus loin. En fait, je ne ressentais pas le besoin d'aller plus loin. Et puis, il faut bien admettre que j'ai été élevée avec les principes voulant qu'on ne couche qu'avec l'homme qu'on va épouser.

Je suis au fond une grande romantique. Et comme, dans ces années-là, le métier d'hôtesse de l'air était auréolé d'une teinte de mystère et qu'en plus, il permettait de voyager, c'est donc tout naturellement vers cela que je me suis dirigée.

Chapitre 8

Une grande déception

Voyager... Visiter tous ces pays lointains, découvrir ces cultures différentes, entendre parler ces langues inconnues et, par-dessus tout, satisfaire mon insatiable curiosité. J'en rêvais tellement. Je le voulais de toutes mes forces.

Quel mal j'ai eu quand on m'a refusée comme agente de bord! Encore aujourd'hui, je ne comprends pas très bien les motivations de ceux qui m'ont rejetée. C'était pourtant le seul métier qui me semblait susceptible de combler mes goûts d'évasion, de liberté et mon amour des voyages.

À l'époque, il fallait répondre à certaines exigences pour être acceptée dans les cours. On demandait d'avoir un physique agréable, de ne pas porter de lunettes ni de dentier, et d'être bilingue. La seule chose qui me manquait, c'était mon anglais. Heureusement, ça s'apprend. Je me suis donc inscrite en relations publiques polyglottes, au cégep de Saint-Jérôme. Mon but n'était pas de travailler en relations publiques, mais d'apprendre les langues et ainsi augmenter mes chances de réaliser mon rêve.

Je ne peux pas dire que cette expérience a été positive. En fait, je n'ai suivi qu'une session. Je ne me sentais pas à ma place. De plus, je trouvais qu'on ne faisait qu'effleurer l'apprentissage des langues. À 30 ou 40 dans une classe quand on apprend l'anglais, l'allemand et l'espagnol, ça ne donne pas grand-chose.

À la mi-session, j'ai appelé ma mère, qui me payait l'appartement, et je lui ai avoué que j'étais malheureuse. Elle n'a pas hésité une seconde: «Plie bagages et viens-t'en!»

Je suis donc retournée chez mes parents et je me suis inscrite à des cours privés au Goethe Institute où, pendant deux ans, j'ai étudié l'allemand. Ensuite, je suis allée chez LPS pour apprendre l'espagnol tout en suivant des cours d'anglais privés.

Être agente de bord était mon rêve et les efforts pour y arriver ne me faisaient pas peur. Malheureusement, quand est venu le temps de m'inscrire à Air Canada, on a jugé que je n'étais pas suffisamment bilingue. Je me suis donc tournée vers Nordair, une compagnie plus francophone.

Cette période m'a demandé beaucoup d'efforts. On était en classe de 9 h à 17 h et, comme tous les cours se donnaient en anglais, le soir je retranscrivais mes notes afin de mieux comprendre. En dépit de tout cela, j'étais première de classe. J'étudiais sérieusement, avec assiduité. Je ne pensais qu'à cela. J'en rêvais même. Je me sentais prête. J'avais fait le vol d'entraînement, le service, il ne me restait plus qu'à passer l'examen du ministère du Transport.

J'ai cru faire un cauchemar quand deux des professeurs, un homme et une femme, m'ont annoncé qu'ils me refusaient le droit de me présenter à ce test.

«On a jugé que tu n'étais pas apte à passer l'examen.

– PARDON?

– Tu es trop jeune, tu manques de maturité. Si un passager te marche sur un pied, tu es du genre à dire: "Pouvez-vous faire attention!" au lieu de sourire et de dire: "Ce n'est pas grave." On ne peut pas se permettre ça.»

On m'aurait giflée que ça n'aurait pas été pire. J'avais l'impression que le monde venait de s'écrouler. Mon monde. Mon rêve s'effondrait. Il est vrai que j'étais têtue et que je critiquais souvent, mais j'avais travaillé si fort.

Découragée et blessée, je suis retournée à la maison comme si je vivais une peine d'amour. Qu'allais-je faire de ma vie alors que mon rêve venait de voler en éclats?

Surtout qu'avec François, ça n'allait plus très fort. On se quittait puis on revenait ensemble sans arrêt. On pouvait être des semaines sans se voir, puis on reprenait là où l'on s'était laissés. C'était une véritable folie qui ne menait nulle part. On a fini par se séparer définitivement lorsque mon cœur s'est mis à battre pour un autre.

Pendant que ma vie amoureuse amorçait une nouvelle étape, une carrière différente pointait à l'horizon. C'est maman qui en fut l'initiatrice en me conseillant d'appeler Claire, la copine d'un ami de papa. Cette dernière travaillait dans des salles de montre (showrooms) et croyait pouvoir m'aider à obtenir un travail de mannequin.

«Moi, mannequin? C'est ben trop plate!»

J'avais bien fait quelques défilés à l'école et d'autres Chez Maxime, mais pour moi c'était un truc de discothèque. Il ne me serait jamais venu à l'esprit de gagner ma vie avec ça que je trouvais plutôt cucul! Par contre, j'appréciais les 60 $ payés pour une soirée. Et puis, il fallait bien que je travaille. Je ne pouvais pas continuer à pleurer sur mon sort et à ne rien faire. Pas à 19 ans.

Maman m'encourageait à aller voir, tout au moins. Je crois que c'est un travail qu'elle aurait aimé faire. Plus jeune, elle avait gagné un concours qui lui aurait sans doute permis d'exercer ce métier, mais mes grands-parents n'avaient pas voulu. Selon eux, il n'y avait que les putains qui étaient mannequins. C'était une autre époque!

Je me suis donc rendue au Sheraton Mt. Royal. Dans une grande suite étaient étalés tout plein de beaux vêtements. Sylvia, une assistante, m'en a tendu plusieurs et m'a demandé de les essayer. Tout m'allait comme un gant. Même les robes de mariée. Ensuite, j'ai défilé devant son patron, M. Nemeroff, un homme assez âgé, qui m'observait d'un air intéressé. J'étais vraiment très gênée. Après mon tour de piste, il m'a demandé si j'avais de l'expérience.

«Oui, j'ai déjà travaillé chez Henry Cohen.»

Comme il a dû rigoler! C'était totalement faux, mais Claire avait mentionné à maman que dire cela m'aiderait à obtenir le poste. Plus tard, M. Nemeroff m'a avoué qu'il avait su immédiatement que je mentais. Dans le milieu de la mode, tout le monde se connaît et sait parfaitement qui y fait quoi. Il m'a tout de même embauchée.

«Je t'engage. Tu vas être mannequin maison. Tu vas travailler cinq jours par semaine et ton salaire sera de 125 $.»

Je n'en revenais pas, je n'avais jamais espéré gagner un tel salaire. On était en 1979 et les gens recevaient en moyenne 2,50 $, 3,00 $ l'heure. C'était beaucoup d'argent. Et tout cela, simplement pour porter des vêtements! Wow!

Cette période de ma vie a été très agréable. Avec Sylvia et deux autres mannequins, Carole et Crystal, je passais des journées à jouer aux cartes, au scrabble et à boire du café. Bien sûr, il fallait toujours être prêtes à montrer les collections aux clients, mais quand il n'y avait personne, on n'avait rien d'autre à faire!

Petit à petit, je commençais à prendre conscience qu'être mannequin pouvait être un métier intéressant et payant. Et puis, ça semblait vouloir marcher pour moi. Parce qu'en plus du *showroom*, je continuais à faire les défilés Chez Maxim. Ces soirées animées par Michel Girouard étaient très prestigieuses et payantes. Encore une fois, j'ai eu envie de me perfectionner. J'aime bien mettre toutes les chances de mon côté.

Au moment où j'étudiais pour être agente de bord chez Nordair, j'avais accumulé un peu d'argent dans le but de m'acheter une petite voiture. Sans hésiter, j'ai utilisé ce montant et je me suis inscrite à un cours chez Audrey Morris, une grande agence et école de mannequins.

Quand Sylvia, l'assistante de M. Nemeroff, a appris cela, elle n'en revenait pas que je sacrifie l'achat de mon auto pour m'offrir un cours dont, selon elle, je n'avais pas besoin. *«You don't need your modeling course. You're very fine like this.»*

(Tu n'as pas besoin de cours de mannequin. Tu es parfaite comme cela.)

Un jour, pleine de fougue, j'ai lancé à mes compagnes de travail: «*One day, I am going to be a star!*» (Un jour, je serai une vedette!)

L'air me semble tout à coup un peu frais sur le pont. Des étoiles commencent à scintiller dans le ciel. La coïncidence m'amuse. Cette croisière sur la mer des Caraïbes et ce plongeon au cœur de mes souvenirs se révèlent, somme toute, fort agréables.

Chapitre 9

Sur la route du succès

AUDREY Morris, quelle femme! Grande, élégante, avec de la classe à revendre, mais également très exigeante. Pour faire partie de *ses* filles, il fallait satisfaire à *ses* critères. Et ils étaient élevés. Un objectif que je m'étais fixé.

Plus le temps passait, plus j'aimais ce métier et plus j'aspirais à me détacher du troupeau. Je voulais désormais être reconnue parmi les meilleures, comme je l'avais prédit à mes compagnes de travail.

Un jour d'avril, Kevin, le *booker* de l'agence Audrey Morris, m'informe qu'il m'envoie à une audition pour le Salon du ski de Montréal, à la place Bonaventure. Ça m'étonne. Après tout, je n'ai pas encore terminé mes cours puis je travaille toujours chez M. Nemeroff. Bien sûr, ça me tente, mais...

«Si on te choisit, ça te paiera 100 $ par jour.

– 100 $ PAR JOUR! PARDON?»

J'en gagnais 125 par semaine. Inutile de dire que mes objections s'envolent. J'accepte de rencontrer le client, qui m'engage immédiatement. Mais le Salon dure cinq jours pleins, du mercredi au dimanche, et moi j'ai déjà un emploi à plein temps. Comment faire ? Je ne peux quand même pas rater cette chance. Je décide de dire la vérité à M. Nemeroff. Après tout, il a toujours été très correct avec moi. Je lui demande donc trois jours de congés. Il accepte.

Mais voilà qu'une semaine plus tard, Kevin me rappelle pour un autre contrat. Moi, je suis folle de joie, mais M. Nemeroff refuse, cette fois-ci, de m'autoriser des congés supplémentaires.

«Tu sais Dominique, j'engage des mannequins pour qu'ils soient disponibles en tout temps. On ne sait jamais quand les clients se présentent. Je t'aime beaucoup, mais je ne peux pas me permettre de te laisser partir chaque fois que tu me demandes un congé. Il va falloir que tu choisisses.

– J'aimerais ça faire carrière, mais je ne suis pas certaine que ça va marcher. Je me sentirais mieux si je pouvais garder mon poste ici.»

Il m'a alors pris la main et d'un ton paternel m'a dit : «Je suis certain que ça va marcher. Et si jamais ça ne marchait pas, reviens me voir.»

S'il n'avait pas dit cela, aurais-je osé ? Je ne sais pas. Je savais bien que c'était inhabituel de donner des contrats à des filles qui n'avaient pas fini leurs cours. Je comprenais que c'était une preuve de mes chances de réussir, mais j'avais tout de même peur de l'inconnu. L'entière confiance que M. Nemeroff m'a accordée m'a donné le coup de fouet nécessaire. Je suis partie et je ne suis jamais revenue, sauf pour le saluer de temps à autre.

Ç'a tout de suite marché. Les contrats venaient régulièrement. Je faisais beaucoup de défilés de mode, des *shootings* photo, des catalogues et aussi beaucoup de publicité dans les journaux, ce qui était très populaire vers la fin des années 70.

J'avais de plus en plus de plaisir à être mannequin. J'aimais porter de beaux vêtements, défiler sur la passerelle et lire dans les yeux et les sourires du public son appréciation. C'était aussi le bon temps où les grossistes nous engageaient pour présenter leurs collections aux acheteurs des boutiques. J'adorais ça. Et, tout était simple. Je n'avais même pas d'effort à faire pour garder ma ligne. Et pourtant, je mangeais tout ce que je voulais (quand j'avais le temps de manger, bien entendu). Il faut dire que lorsqu'on défile trois ou quatre fois par jour, c'est comme faire une heure d'aérobic chaque fois. Par contre, je trouvais toujours le temps de griller une bonne cigarette. Je fumais comme une cheminée. Pas besoin de chercher midi à quatorze heures pour comprendre pourquoi j'étais si mince.

Aujourd'hui, on critique souvent les mannequins en disant qu'elles sont trop maigres. Mais il ne faut pas oublier que les collections sont faites un an à l'avance et sont coupées dans les tailles 8 en Amérique et 6 en Europe, et que c'est à la mannequin de s'ajuster à l'échantillon.

Ce métier fait souvent rêver, mais c'est un travail difficile et exigeant. S'il est vrai qu'il est agréable de se faire maquiller, minoucher, retoucher, ajuster, après un certain temps, tout le monde a besoin de retrouver son espace, sa bulle.

C'est pourquoi il est essentiel d'être très disciplinée. Quand on enfile un défilé après l'autre en plus des séances de photos, des essayages interminables, des heures de maquillage et de coiffure, ce n'est pas un travail de tout repos.

Il faut donc faire très attention. Qui dit fatigue extrême dit teint vert, cheveux ternes, démarche lourde et retard. Les clients n'apprécient guère. Celles qui se droguent ou se soûlent ne peuvent rester actives très longtemps. C'est impossible.

En plein cœur de la saison de la mode, j'entrais souvent chez moi à 22 h. Le lendemain matin, il me fallait être fraîche et pimpante à 7 h pour le premier défilé à 8 h 30. Ensuite se succédaient un autre défilé à l'heure du midi, un client chez Mondi, un troisième défilé pour un cocktail ou dans un centre commercial et finalement, un dernier dans un restaurant où l'on présentait des soupers mode. La passerelle, c'était ce que je préférais. Bouger, tournoyer et, d'une certaine façon, entrer en communication avec le public.

J'aimais beaucoup moins les photos. Si les photographes savent ce qu'ils font, le public n'a aucune idée de ce à quoi peut ressembler un *shooting* photo. Les gens croient souvent que, pour une publicité de divan par exemple, on passe la journée affalée pendant que le flash crépite. S'ils savaient que pour obtenir la pose parfaite la pauvre fille est souvent sur le point de tomber parce que seul son pied la retient et qu'il est engourdi, que son corps est tordu pour être dans le bon angle, qu'elle a mal au dos, que la robe est trop grande, qu'on la lui a attachée avec une pince dans le dos, que ça l'égratigne, que sa main est placée toute croche pour rendre les veines moins saillantes, etc. Malgré tout, elle doit garder son beau sourire et prendre un air totalement dégagé tout en donnant l'illusion d'avoir un plaisir fou. Après trois heures dans cette position, quand vient le temps de se relever, le corps n'aspire plus qu'à un bon bain chaud.

Par exemple, lorsque j'ai fait la séance de photos pour la pochette des bas-culottes Whisper, j'ai dû, pendant trois jours, me tenir penchée vers l'avant, les fesses à l'air, avec un immense ventilateur qui me soufflait au derrière. Il fallait que la minirobe se soulève juste assez et au bon endroit pour laisser paraître le haut du collant afin que la consommatrice puisse voir le type de culotte. Il est vrai que le résultat final était réussi. Aujourd'hui, ce même genre de travail se ferait à l'ordinateur en moins de temps qu'il n'en faut pour organiser une séance de photos.

Comme je ne portais aucun sous-vêtement, je m'assurais à tout moment qu'il n'y ait personne derrière moi au cas où le ventilateur soufflerait un peu trop fort. Heureusement, toute l'équipe était très professionnelle et respectueuse.

Je me considère très chanceuse d'avoir, la plupart du temps, travaillé avec des professionnels. Il faut reconnaître que je n'étais pas facile. J'étais plutôt du genre direct. C'est sans aucun doute la principale raison pour laquelle je pense n'avoir jamais eu de problème. Si un client se montrait trop entreprenant, je n'hésitais jamais à le remettre à sa place. Il arrivait que certains d'entre eux, sous prétexte de voir si on était prêtes, entraient dans la salle d'essayage alors qu'on était en soutien-gorge et en petites culottes. Des voyeurs, il y en a partout! Quand ça m'arrivait, je mettais la robe devant moi et je criais: «EST-CE QUE VOUS POUVEZ SORTIR S'IL

VOUS PLAÎT?»

Généralement, tout s'arrêtait là. Le pire qui pouvait arriver, c'est que ces clients ne donnent plus de contrat par la suite, mais ça ne me dérangeait pas. Je n'étais pas prête à me prostituer. Aussi, quand je me déshabillais dans l'arrière-salle, si un technicien ou quelqu'un qui n'avait pas à être là avait le malheur de passer, j'étais toujours celle qui l'apostrophait: «Eille, y'a personne qui a le droit d'entrer tant qu'on n'est pas habillées. DEHORS!»

Dans le groupe de filles, j'ai toujours été connue comme celle qui criait et qui chialait. J'entendais être respectée dans ce métier. Et je l'ai été!

Au début des années 80, je gagnais beaucoup d'argent. Je faisais plusieurs salles de montre, surtout chez Mondi pour qui j'étais la première mannequin maison. J'adorais cette ligne allemande dont les vêtements m'allaient comme un gant. Elle a malheureusement fait faillite depuis. Je travaillais également pour les grands magasins tels que Eaton, Simpson, La Baie, Woolco ainsi que pour une compagnie de tissus très connue, la Dominion Textile.

C'est ainsi que j'ai fait la connaissance de Yolande Cardinal, une femme qui allait jouer un grand rôle dans ma vie. Nous étions au mont Gabriel pendant le mois d'août, pour un spectacle qui s'appelait *Auto-élégance*. J'ai tout de suite sympathisé avec cette petite femme dynamique, presque aussi jeune que moi. Au moment de se quitter, elle m'avait dit: «Tu diras à Kevin de m'appeler. J'ai des shows qui s'en viennent et je veux t'avoir comme mannequin.»

J'ignorais alors qu'elle travaillait pour Dominion Textile et que cette entreprise préparait un gros spectacle pour son 75ᵉ anniversaire. Il s'agissait d'un super défilé présentant des costumes couvrant les années 1900 à 1979. Et elle s'apprêtait à l'envoyer en tournée d'un bout à l'autre du Canada.

Moi qui avais tellement rêvé de voyager, qui avais étudié toutes les pièces de l'avion dans l'espoir de voir le Canada, voilà que mon rêve se réalisait grâce à la mode. J'étais folle de joie. Mais j'ignorais que Yolande entrait dans ma vie pour m'apporter bien plus que cette belle aventure.

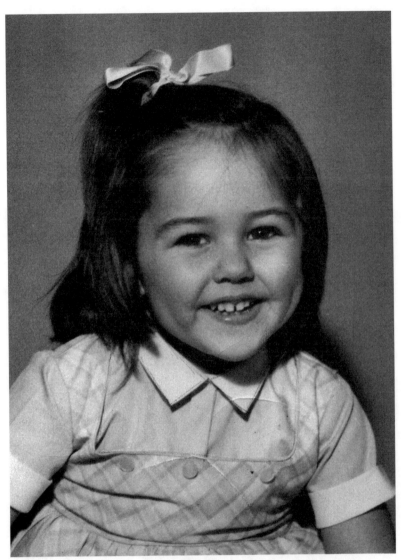

Je me trouve tout à fait jolie sur cette photo. J'ai 4 ans.

Photo de famille.
À l'arrière,
de gauche à droite :
Anne et Claudine ;
à l'avant : Élizabeth,
Benoit et moi.

Photo de famille... 30 ans plus tard :
Claudine, Anne, Élizabeth, Benoit et moi.

Mannequin en devenir: mon examen de démarche lors de mon cours de mannequin chez Audrey Morris.

Chez M. Nemeroff: Carole, Sylvia et Crystal

En 1979, les défilés
de mode qu'organisait
Michel Girouard
à la discothèque 1234
étaient les plus courus
en ville.

Différents looks au fil des ans.

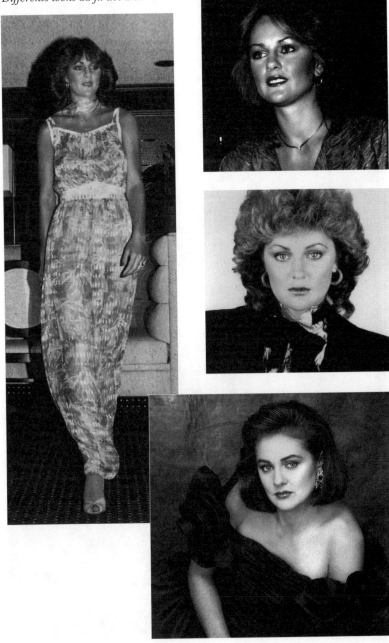

Lors d'une promotion pour les cosmétiques Audrey Morris, je suis au centre. La belle fille blonde à ma gauche est nulle autre que Shannon Tweed qui fut la Playboy Playmate of the Year en 1981, au moment même où je devenais Miss Canada.

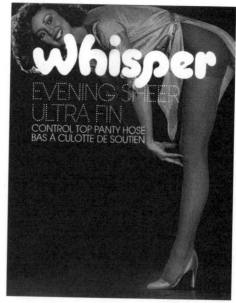

Les bas-culottes Whisper: en 1980, je suis devenue l'«image» des bas Whisper; à l'époque, on ne retouchait pas les photos: ce sont mes vraies jambes!

C'est en travaillant comme speakerine lors des Salons de l'auto que j'ai développé mon goût pour les communications.

*Première expérience
de concours:
je suis duchesse
du carnaval
de mon quartier.*

*Ma participation
au concours Miss
Montréal de 1979:
j'ai terminé 4ᵉ.*

*En compagnie
de Mᵐᵉ Demers, celle qui
m'a «tordu» le bras afin
que je participe
au concours Miss Laval.
Merci Jeannine ♥ !*

*Je décroche le titre
de Miss Laval 1979!*

Quel bonheur de recevoir
les fleurs qui accompagnent
le titre de Miss Laval,
ma porte d'entrée
au concours Miss Canada!

La première entrevue
de Miss Laval 1979!

L'un des cadeaux de Miss Laval:
un manteau de chat sauvage.

Le couronnement de Miss Canada 1981, le 3 novembre 1980.

Portrait officiel de Miss Canada par l'artiste Arto Cavouk.

CAVOUK

Autre portrait officiel
de Miss Canada.
Je suis toute vêtue
de Mondi.

Dans la chambre d'hôtel de mes parents après le couronnement de Miss Canada: papa, Anne, moi, Claudine et maman.

Une semaine après mon couronnement, me voici enfin de retour chez moi! Le maire de Laval, Lucien Paiement, me reçoit à l'Hôtel de ville.

Mon party, lors de mon retour à la maison, en compagnie de deux amies, Joane et Gisèle, et de ma sœur Élizabeth (au centre).

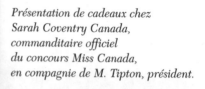

*Présentation de cadeaux chez
Sarah Coventry Canada,
commanditaire officiel
du concours Miss Canada,
en compagnie de M. Tipton, président.*

*Séance de signatures
pour Coca-Cola.*

*Bien équipée pour affronter
le froid dans l'uniforme
des forces armées.*

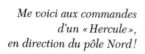

*Me voici aux commandes
d'un « Hercule »,
en direction du pôle Nord !*

À l'émission de Michel Jasmin, ma première rencontre avec Julio Iglesias, quelque temps avant le concours Miss Univers.

Lors du Festival des films du monde, à Montréal en septembre 1981, je suis en compagnie de la future Gouverneure générale du Canada, Jeanne Sauvé.

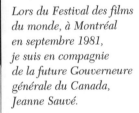

Lors du même Festival, en compagnie cette fois de Gina Lollobrigida

En Floride, lors du bal qui précède le match de football «Orange Bowl».
Je suis en compagnie de l'ambassadeur du Canada aux États-Unis
et d'un représentant de la Gendarmerie royale du Canada.

À l'occasion
de la proclamation de la Loi constitutionnelle de 1982

le Premier ministre du Canada
le très honorable Pierre Elliott Trudeau
prie

Mademoiselle Dominique Dufour
de lui faire l'honneur d'assister
à un dîner qui réunira des Canadiens et Canadiennes de marque
en présence de
Sa Majesté la Reine
et de
Son Altesse Royale le duc d'Édimbourg
dans la salle Commonwealth de l'hôtel Holiday Inn (Ottawa-Centre)
le vendredi 16 avril 1982 à vingt heures
Les invités sont conviés pour dix-neuf heures   *Smoking ou tenue de ville*

Pour mémoire   *Veuillez présenter le carton ci-joint à l'entrée*

L'invitation
officielle
à rencontrer
sa Majesté
la reine
Elizabeth II.

Je cuisine pour une bonne cause!

Visite à Mackinac Island, au Michigan, là où l'on a tourné le film
Somewhere in Time, *avec Jane Seymour et Christopher Reeve. Sur cette île,
il n'y a aucune automobile; on se déplace uniquement à cheval et à bicyclette.*

*Ma dernière marche.
Dans quelques instants,
je remettrai ma couronne
à la nouvelle
Miss Canada 1982.*

Chapitre 10

Mon entrée dans l'univers des Miss

C'EST à peu près à la même époque que j'ai eu l'idée de participer à un concours de «Miss». Même si je travaillais comme mannequin depuis peu de temps, j'avais un peu d'expérience, ce qui me donnait le goût de tenter ma chance. L'idée n'était pas de savoir si j'étais la plus belle ou la plus populaire, non, encore une fois c'était tout le côté *glamour* de ces événements qui m'attirait. Sans oublier que chaque fois que je regardais le *Miss Canada Pageant* à la télé, je salivais devant tout ce qui était offert à celle qui remportait le titre. Je me demandais bien de quelle façon on pouvait s'inscrire à ce type de concours.

Et voilà qu'un soir j'aperçois une annonce dans le journal. On demandait des jeunes filles pour le concours Miss Montréal qui devait se tenir à la discothèque Chez Maxim. Je connaissais déjà l'endroit puisque j'y faisais régulièrement des défilés. C'était pour moi!

Et puis, je dois bien l'avouer, j'espérais ainsi épater mon *chum,* que j'appellerai Yves Iᵉʳ pour ne pas créer de confusion avec Yves, mon mari. Ma relation avec lui n'était pas facile. Il s'intéressait à moi la semaine, mais la fin de semaine, c'était toutes les autres filles qui avaient ses faveurs. Je souffrais beaucoup de cette situation.

C'était au Harlow, une discothèque en ville, que je l'avais aperçu la toute première fois. Comment le rater? Il était grand, blond, avec une tête de lion et de beaux yeux noisette rieurs. La semaine suivante, je l'avais revu dans une discothèque de Laval. Il s'était approché de moi et m'avait demandé: «Est-ce que tu voudrais m'épouser?»

Je ne me souviens plus ce que j'avais répondu, mais ça ne devait pas être trop négatif puisque, après cette soirée, on a commencé à se voir régulièrement. J'avais eu le coup de foudre. Lorsque j'étais avec lui, tout était tellement extraordinaire, euphorique. Quand il n'était pas là, je ne pensais qu'à lui. J'aurais fait n'importe quoi pour qu'il m'aime. Mais il voulait demeurer libre de flirter avec toutes les filles. Mon Dieu ce que j'ai pu avoir mal pour ce type! Je me sentais misérable, mais je l'aimais tellement que je lui pardonnais toujours ses infidélités. Surtout qu'il trouvait toujours une bonne histoire à me raconter et que j'avalais tout ça comme une idiote. J'ai beaucoup pleuré pendant les deux années qu'a duré notre relation. C'était une période vraiment sombre de ma vie amoureuse.

Aujourd'hui, cette expérience me permet de ne pas porter de jugement trop sévère à l'égard des femmes battues qui souffrent de dépendance envers leur conjoint. Certains hommes possèdent le don extraordinaire de donner tout ce qui nous fait envie et de nous faire sentir si importante que lorsqu'on est avec eux, on en vient à penser qu'il vaut la peine de souffrir, ne serait-ce que pour avoir l'occasion de vivre ces courts moments de joie. Et puis, on espère toujours que notre homme changera. Grâce à NOUS. Pour NOUS. Malheureusement, ça n'arrive jamais. C'est sans doute le désir de m'affranchir de lui ou, plutôt, de lui prouver que j'en valais la peine qui m'a poussée à poser ma candidature pour Miss Montréal.

Quelques jours plus tard, une dame Demers m'a téléphoné pour m'inviter à passer une audition. Ensuite, je devais me présenter à une soirée préliminaire. Ces dernières avaient lieu chaque semaine Chez Maxim devant un public enthousiaste. Il faut dire que l'événement, encore animé par Michel Girouard, était très couru. Les filles devaient défiler et faire montre d'un talent quelconque, comme chanter ou jouer du piano. Comme je ne savais faire ni l'un ni l'autre, j'ai choisi de réciter un monologue de Clémence DesRochers. Ce n'est pas moi qui ai été retenue.

Mais le concept plaisait tellement aux clients que Mme Demers a décidé d'ajouter trois semaines supplémentaires en réinvitant les filles qui s'étaient classées deuxième ou troisième. J'y suis donc retournée. Cette fois-ci, j'ai été choisie. On s'est donc retrouvées 16 filles en finale au concours Miss Montréal qui avait lieu au Théâtre St-Denis.

Cette soirée était coanimée par Alain Montpetit et Michel Girouard. C'était vraiment un gros spectacle. Bien que la gagnante fût Louise Martel, ma préférée était Sylvie Bégin qui s'est classée deuxième. À mon avis, elle aurait dû gagner. Elle était caporale dans l'armée canadienne et elle avait fait un monologue extraordinaire, vêtue de son uniforme militaire. C'était très drôle. Josée Dominique, qui est arrivée en troisième position, était une pianiste qui sortait de Vincent d'Indy. Elle était intelligente et articulée. Je me demandais bien ce que je faisais là avec toutes ces filles bourrées de talent. J'ai fini au quatrième rang, ce qui m'a tout de même permis d'avoir des souliers, des bijoux, un maillot de bain, des fleurs et du maquillage. J'étais satisfaite. J'avais aimé l'expérience, bien que je fusse décidée à passer à autre chose.

Mais voilà qu'en automne 1979 Mme Demers me rappelle pour me dire qu'elle organise le concours de Miss Laval et qu'elle aimerait bien que je m'y inscrive, étant donné que c'est là que j'habite.

«Non, merci. J'ai essayé une fois avec Miss Montréal. Maintenant, c'est fini pour moi.

– Voyons donc Dominique, ça serait l'fun si tu participais.

– Non, toutes mes amies vont dire que je cours les concours, ça ne m'intéresse pas.»

Pour moi, l'opinion de mes collègues, c'était important. Une mannequin qui court les concours, ça n'était pas très bien vu!

«Penses-y, ça va être au Elle et Lui.»

Cette fois encore, il y avait 10 000 $ de cadeaux dont un manteau de fourrure, un téléviseur, un voyage, une bague à diamants, c'était alléchant. Je ne voulais plus m'inscrire, mais c'était plus fort que moi, de temps à autre, j'assistais aux soirées préliminaires. J'aimais l'ambiance et j'aimais regarder les filles évoluer sur la scène. Je tentais de deviner qui serait la gagnante.

De son côté, Mme Demers n'abandonnait pas. Elle continuait d'essayer de me convaincre de m'inscrire et je persistais à refuser. Mais, la dernière semaine, voilà qu'elle me dit avoir un problème. Il lui manque une fille pour la dernière soirée et me demande de la dépanner. Je ne sais pas trop comment m'en sortir, surtout que je l'aime bien. Ça m'embête de lui refuser ce petit service.

«Je n'ai pas de talent particulier.

– Léopold va te montrer à chanter!»

Léopold Bissonnette, c'était le propriétaire de la chaîne de salon de coiffure Carpe Diem. Il était commanditaire de Miss Montréal où sa femme, Corinne, m'avait remarquée. Elle lui avait dit que je ressemblais à Jacqueline Bisset, son actrice préférée. C'est sans aucun doute la raison qui l'a motivé à m'aider. Son premier commentaire a été qu'il n'avait guère apprécié mon monologue: «Une belle fille ne peut pas faire un monologue de bûcheron. Si tu chantais quelque chose de facile et d'entraînant, ce serait plus dynamique.»

À l'aide d'une bande sonore, il m'a fait répéter la chanson *J'ai besoin pour vivre* de Claude Dubois. Lorsque je me suis présentée, j'ai remporté la victoire.

Nous étions au mois de novembre et la grande finale avait lieu en décembre au Sheraton de Laval. Léopold a donc poursuivi son entraînement avec encore plus d'intensité.

Contre toute attente, c'est moi qui ai été couronnée Miss Laval 1979. Je remportais tous les cadeaux, mais le plus important était, sans contredit, le passeport me permettant de me rendre représenter Laval au Miss Canada Pageant 1981, à Toronto!

En comprenant cela, j'ai eu un choc! Tout doucement, du plus profond de moi, j'ai senti renaître ce réflexe de combattante qui m'a si souvent bien servi.

Je veux gagner. Je veux porter le titre de Miss Canada. Il n'y a pas que les cadeaux qui m'attirent. Il y a toute cette expérience qui va avec ce titre et surtout, surtout, tous ces voyages, ces rencontres, ces contacts. Je veux gagner! Il me reste 11 mois pour me préparer. JE VEUX ÊTRE MISS CANADA!

Chapitre 11

Je veux être Miss Canada!

C ETTE fois-ci, ce n'était plus un divertissement. J'étais décidée. Mon but était de porter le titre de Miss Canada. J'ai donc décidé de mettre tous les atouts dans mon jeu.

En tout premier lieu, je me suis inscrite à des cours de chant avec M. Larivière qui enseignait aussi à Ginette Reno. Son pianiste était Jean-Renaud Desautels, et il l'appelait affectueusement «le maestro». Pour ma participation à Miss Canada, ce dernier m'a gentiment offert une très belle chanson intitulée *Laissez-vous aimer*. Il l'avait spécialement composée pour moi et m'en a même cédé les droits.

J'aurais bien aimé l'enregistrer, mais ma voix n'est assurément pas celle d'une chanteuse. Pourtant, ça ne m'a pas empêché de déclarer, dans la petite biographie qu'il faut écrire pour le programme de Miss Canada, que c'était ce que je voulais faire dans la vie. C'est d'ailleurs en remarquant que ma nervosité devant les juges m'empêchait de contrôler ma voix que j'ai compris: ce métier n'était vraiment pas pour moi.

Un autre atout majeur fut la présence et les conseils de Yolande Cardinal. Dominion Textile, c'est aussi Texmade, un des commanditaires majeurs de Miss Canada. Yolande connaissait bien le concours. Ayant déjà été juge, elle m'a aidée à remplir mon dossier en m'incitant à mettre en évidence mes talents et en m'assurant que je devais avant tout faire montre d'une grande honnêteté.

Elle m'a expliqué que c'est en se basant sur cette biographie que les juges allaient bâtir leurs questions. Inutile donc d'essayer de les épater si, par la suite, je ne pouvais défendre ce que j'avais avancé.

«Sois honnête dans tes réponses. La juge en chef se nomme Patricia Gwyer. Elle est coordonnatrice du Fashion Technique and Design Department du Sheridan College, en Ontario. Elle a beaucoup de culture. C'est son rôle de savoir si tu dis la vérité. Et crois-moi, elle va tout faire pour s'assurer que la petite fille devant elle a bien tout ce qu'il faut pour devenir Miss Canada et qu'elle souhaite le devenir. Tu ne pourras pas la tromper. Sa décision est importante. Ce concours, c'est un travail à temps plein. Pour le moment, tu ne vois que le côté *glamour*. C'est aussi ce que voit le public. Mais il y a un énorme travail derrière ça! N'oublie pas que, pendant une année, tu devras sacrifier ta vie.»

L'expérience de Yolande a été précieuse. Sans elle, sans doute aurais-je tenté, moi aussi, d'éblouir les juges. Mais j'ai été très prudente, me contentant d'être très honnête.

Je savais également que Miss Canada se doit d'être irréprochable. Après tout, elle représente le pays. Pour obtenir ce dossier vierge de tout blâme, j'ai dû faire un ultime sacrifice: me séparer d'Yves Ier.

C'est mon père qui a été à l'origine de cette rupture. Un matin de septembre, environ deux mois avant le concours de Miss Canada, il m'a prise à part: «As-tu vu le *Journal de Montréal* ce matin? On y parle d'un grand réseau de vol de voitures qui aurait été démantelé dans le parc industriel de Saint-Vincent-de-Paul.» L'adresse était celle du garage d'Yves Ier. Je savais bien qu'il avait toujours beaucoup d'argent sur lui et qu'il conduisait des autos de luxe. Je savais également qu'il en achetait et en vendait, mais je n'aurais jamais imaginé que tout ça n'était pas honnête.

«Sais-tu ce que ça veut dire? Si un journaliste met la main là-dessus et que tu es au concours Miss Canada, tu ne pourras pas gagner. Si tu veux avoir le titre, tu sais maintenant ce qu'il te reste à faire.»

Gagner ce concours était devenu mon obsession. J'y avais mis tellement d'efforts depuis près d'un an. Et puis, je devais aussi me rendre à l'évidence: ce gars-là n'était pas un homme pour moi. Il me rendait malheureuse par ses infidélités, et voilà que j'apprenais qu'il me mentait en plus concernant son travail. Ce jour-là, j'ai cessé de le fréquenter.

Au cours des semaines qui ont suivi, dès qu'il m'appelait, j'inventais toujours un bon prétexte pour ne pas le voir. Je savais que si je cédais, ne fût-ce qu'une seule fois, tout recommencerait. J'étais encore si vulnérable. J'ai tenu bon. Sans doute que ma vie aurait été beaucoup plus facile si les afficheurs téléphoniques avaient existé. Je suis finalement partie pour Toronto sans l'avoir revu.

Quand j'ai été élue Miss Canada, il a bien tenté de revenir à la charge. J'avais obtenu ce que je voulais finalement, car je crois qu'il lui aurait plu d'être le *chum* de Miss Canada. Mais il était trop tard et, même si je l'aimais encore, je savais que je ne pourrais jamais faire ma vie avec lui.

Je crois sincèrement qu'il m'a aimée, mais mal. Très mal. On s'est revus quelques années plus tard alors que j'étais libre. C'était toujours un bel homme. On est allés manger ensemble et il m'a avoué désirer me revoir. Je lui ai répondu qu'il avait été l'amour de ma vie et que, lorsque je l'avais quitté, je ne croyais plus être capable d'aimer un homme autant que lui, même que je ne ressentais plus rien pour lui. Il m'a regardée, les yeux pleins d'eau. Puis j'ai ajouté: «J'espère ne plus jamais aimer quelqu'un comme je t'ai aimé. C'est beaucoup trop douloureux.»

J'étais sincère. J'avais toujours cru qu'on ne pouvait pas aimer deux fois dans une vie. C'est totalement faux. Aujourd'hui, l'amour que je porte à mon mari est tellement plus intense. La passion que j'éprouve pour lui demeure toujours aussi vivante depuis 15 ans. Je l'aime davantage de jour en jour.

La maxime qui dit: «*Plus qu'hier, moins que demain*» peut sembler cliché, mais c'est ce que nous vivons ensemble. Notre relation est saine, on est heureux. On s'est juré fidélité, car on croit cette condition essentielle au bonheur d'un couple. Sans fidélité il n'y a plus de confiance, et sans confiance il n'y a plus de raison d'être ensemble, donc il n'y a plus de couple.

Mais, revenons à mon départ pour Miss Canada. Peu de gens de mon entourage étaient au courant. J'avais été très discrète. Il y avait bien sûr les mannequins avec qui je travaillais régulièrement pour Dominion Textile, mon agent Kevin et Mme Morris qui, elle aussi, avait déjà été juge pour Miss Canada. Inutile de préciser qu'elle m'avait également offert de judicieux conseils. Surtout, elle m'a rassurée en me disant que cette expérience serait un tremplin pour ma carrière. Cette expérience qui ne peut se présenter qu'une fois dans la vie était auréolée de prestige.

Me voilà donc en octobre 1981, à Dorval, pour le grand départ vers Toronto. Mes valises sont énormes. C'est fou tout ce que j'ai pu y glisser. J'ai établi ma garde-robe en fonction des différentes activités, réceptions et soirées prévues à l'horaire de la semaine que m'a fait parvenir l'organisation du Miss Canada Pageant.

Je voyage en compagnie de Miss Montréal, Miss Rive-Sud et Miss Québec. C'est vraiment excitant. En arrivant à l'aéroport de Toronto, il y a plusieurs participantes d'un peu partout au Canada. Toutes portent leur bannière. Je reconnais Miss Gatineau et Miss Sherbrooke. Nous sommes six de la province de Québec. Nous sommes toutes aussi fébriles à l'idée de la semaine magique qui nous attend. La longue limousine qui doit nous conduire à l'hôtel nous éblouit. Nous avons l'impression d'être des princesses.

À notre arrivée, un groupe de dames d'âge mûr nous accueille. Elles seront nos chaperons pour la semaine. La mienne s'appelle Barbara, elle a une cinquantaine d'années, les joues et le corps très ronds. On dirait une petite boule d'amour. Pendant toute la durée de notre séjour, ces dames ont pour mission de veiller sur nous, de nous conseiller, de nous guider, mais également de nous surveiller. Il y a des règles très strictes à Miss Canada et il faut les respecter si on ne veut pas être éliminées.

Nous logeons au Triumph Sheraton près de l'autoroute 401. À l'extérieur, un immense panneau sur lequel est inscrit «*Bienvenue aux finalistes du concours Miss Canada 1981*» attire notre attention. On y est vraiment! Je me sens un peu comme dans un rêve. Je suis émerveillée. Mais ce n'est rien en comparaison de ce qui m'attend en ouvrant la porte de la chambre.

Là, sur le lit, des tas et des tas de paquets de toutes les formes et de toutes les couleurs! J'ai bien failli hurler de joie. Wow! Je me sens comme une toute petite fille le soir de Noël. Il y a des disques, du chocolat, du maquillage, le chandail officiel de Miss Canada et plein d'autres surprises. C'est fantastique!

Ma compagne de chambre se nomme Marilyn Andres, elle est Miss Red Deer. Tiens, c'est où cet endroit? Elle m'explique que c'est au nord de Calgary, en Alberta. Marilyn est blonde mais franchement pas très jolie. Elle ne parle pas un mot de français, mais je m'en fous. Ça va me permettre d'exercer mon anglais. J'ai tout de même un peu de difficulté à cause de son drôle d'accent, bien qu'avec des gestes, et après plusieurs fous rires, on finit toujours par se comprendre.

Je la trouve très réservée, mais les années m'apprendront que ce tempérament est typiquement anglo-saxon. Nous, les francophones, avons ce petit côté latin qui fait de nous des personnes plus chaudes, plus *French*... C'est une gentille fille, mais je sais qu'elle ne deviendra jamais ma grande amie ni ma confidente, et je sens qu'elle pense la même chose.

Notre installation est à peine terminée qu'on nous invite à descendre dans la salle à manger pour le premier lunch de la semaine en compagnie de toutes les déléguées. Enfin je rencontre mes adversaires. Connaître la compétition permet de se préparer mentalement. Le dîner à peine terminé, notre travail commence. Il faut d'abord essayer la robe du soir (une création de Wayne Clark), la même pour toutes les participantes. D'un beau bleu de cobalt, longue et cintrée à la taille, elle me va très bien.

Le *Miss Canada Pageant* est un spectacle, et comme pour tout spectacle, les répétitions sont souvent longues et fastidieuses. Mais en plus, il y a la ronde des essayages de vêtements, maillots et souliers qui seront présentés durant le spécial télévisé.

Chaque fois qu'on se présentait chez un commanditaire, c'était une vraie comédie. Je me souviens du Scarborough Mall, chez Aggies, où il fallait essayer des souliers: 42 filles qui doivent se choisir chacune 7 ou 8 paires de chaussures — des gougounes, des espadrilles, des souliers à talon pour le maillot, des escarpins pour la robe de cocktail et pour la robe du soir — vous voyez un peu le tableau? C'était fou, hystérique même, mais j'adorais cela.

Plus la semaine passait, plus ma conviction était grande. Je voulais remporter le titre. Je me voyais déjà avec les 43 777,93 $ de cadeaux qui seraient remis à la gagnante. C'était tout de même une belle somme en 1981. Mais surtout, je voulais continuer cette vie de rêve pendant encore un an.

Tout ce que je vivais me passionnait et m'émouvait. Quand je suis entrée dans le studio de télévision de CFTO, un des plus grands au Canada, je n'avais pas assez de mes deux yeux pour tout voir. C'était exactement comme à la télé, mais en plus immense. Comment décrire ce que je ressentais? Je faisais partie d'un rêve! J'étais là, moi, Dominique Dufour! C'était pour être ici que j'avais travaillé si fort au cours de l'année. C'était pour réaliser ce rêve que j'avais mis en pratique les conseils de tout le monde. J'étais fébrile. Je voulais gagner. Je me voyais gagner.

Mais la compétition était serrée. J'avais assez d'expérience pour savoir que toutes les 42 filles n'avaient pas des chances égales. En travaillant comme mannequin, j'avais acquis une certaine confiance en moi. Je savais qu'il y a certains critères de beauté et je voyais ce que je projetais. Je ne suis pas une beauté, mais je sais que physiquement, j'ai un certain charme. Et surtout, je n'étais pas assez idiote pour croire que si la personnalité compte énormément dans ce genre de concours, le physique n'y est pour rien. Dans ma tête, je pouvais facilement éliminer une trentaine d'aspirantes. Je me classais dans les 12 qui, selon moi, étaient de sérieuses candidates.

Je regardais les autres filles, je me comparais, je rêvais, je me voyais avec ma couronne en train de remercier le public. Parallèlement, plus le temps filait, plus la compétition se faisait sentir. Les filles devenaient plus nerveuses. Des cliques se formaient.

Le vendredi, quand est arrivé le programme rouge contenant toutes nos photos, je me suis longuement attardée sur la rubrique *What It's All About*, deux pleines pages de photos de Terry MacKay, Miss Canada 1980, dans ses différentes fonctions au cours de l'année précédente. Je m'imaginais à sa place.

Le lundi est finalement arrivé. Tout le monde était très tendu depuis déjà quelques jours. J'étais plutôt satisfaite des étapes franchies, mais rien n'était encore gagné. Comme toutes les autres, j'étais nerveuse. Comment allais-je me comporter devant les caméras?

À trois reprises, nous avions toutes déjà rencontré les juges. Comme Yolande me l'avait si judicieusement souligné, ils s'étaient inspirés de tout ce que j'avais écrit pour me questionner. Comme j'avais suivi ses conseils, je n'avais été embarrassée d'aucune façon. Ce que je pouvais être contente de l'avoir écoutée! J'imaginais la panique des pauvres filles qui s'étaient inventé une vie imaginaire et qui s'embourbaient dans leurs mensonges.

J'étais consciente que cette première étape servait à réduire le groupe. Je connaissais la théorie voulant que les premières minutes d'une rencontre suffisent pour se faire une opinion. Malgré tout, les juges nous ont toutes rencontrées à deux reprises. Et personne n'a su qui avait été éliminé d'office.

Lors de la dernière entrevue, Patricia Gwyer m'a demandé: *«How badly do you want to be Miss Canada?»* (À quel point désires-tu devenir Miss Canada?)

Je me souviens encore de la force que contenait ma réponse. C'était clair. Je voulais être Miss Canada. Je l'ai regardée droit dans les yeux et j'ai répondu: *«You wouldn't believe how much I want to be Miss Canada!»* (Vous ne me croiriez pas si je vous disais à quel point j'ai envie d'être Miss Canada!)

Je savais qu'elle serait rassurée par ma détermination. Surtout qu'au tout début de la semaine nous avions eu une rencontre avec Elaine Anisman, la directrice générale du Miss Canada Pageant. Longuement, cette dame avait tenté de bien nous faire comprendre ce que voulait dire l'obtention de ce titre. Ce soir-là, elle a demandé aux 42 aspirantes : «Qui veut être Miss Canada?»

Évidemment, presque toutes ont levé la main. Certaines ne désiraient pas le titre. Elles étaient là pour faire plaisir à leur famille ou tout simplement pour vivre une expérience enrichissante. Quelques-unes d'entre elles étudiaient en médecine ou étaient amoureuses et n'étaient pas prêtes à consacrer une année de leur vie à travailler comme ambassadrice pour le Canada (en anglais, on dit *Goodwill Ambassador*). À celles-là, Elaine a expliqué qu'il n'y avait rien de mal à ne pas vouloir gagner. Avec beaucoup de doigté, elle les a invitées à profiter d'une belle semaine, à se faire gâter. Mais elle leur a également suggéré d'être honnêtes avec les juges et de leur dire qu'elles ne désiraient pas remporter le titre.

Pendant une heure, elle a ensuite expliqué tout le travail qui attendait la gagnante. Tout ce que l'élue devrait sacrifier. Comment il lui faudrait se comporter. Elle énumérait les avantages et les inconvénients. Rien de ce qu'elle disait ne me faisait peur. J'étais prête. Quand elle a terminé, une jeune fille a demandé timidement :

«Si ma sœur se marie cet été, est-ce que je pourrai assister à son mariage?

– Je ne sais pas. Si tu as un engagement et que tu es partie à Londres, tu ne reviendras pas pour le mariage de ta sœur. Si tu es invitée en Nouvelle-Écosse pour l'ouverture d'un nouvel hôpital, par exemple, tu ne reviendras pas non plus.

– Est-ce que j'aurai le droit de sortir?

– Oui, tu en auras le droit, mais tu auras ton chaperon qui habite à deux coins de rue. Si tu as moins de 19 ans tu ne pourras pas aller dans les bars et consommer de l'alcool en Ontario. Si tu sors et si tu te couches à 2 h du matin, il te faudra quand même être prête à 5 h, c'est-à-dire maquillée et coiffée, fraîche et dispose, lorsque la limousine passera te prendre pour te conduire à l'aéroport où tu prendras ton avion à 7 h. Et ce, en tout temps!»

Autour de moi, plusieurs filles semblaient dépitées. Pas moi. Je me foutais des sacrifices. Je voulais être Miss Canada et j'étais prête à donner cette année et à faire tout ce qu'il fallait pour que tout le monde soit satisfait. En moi-même, je voyais la possibilité de combler mon besoin de voyager d'un bout à l'autre du Canada et même ailleurs. J'aurais mon propre appartement à Toronto. Ma vie changerait. Je verrais de nouveaux horizons. Je me disais que c'était un beau tremplin…

Aussi, quand Elaine a reposé sa question à la fin de la rencontre: «Qui veut être Miss Canada?»

Le quart, sinon le tiers, a gardé les mains le long du corps. Le groupe venait de diminuer. C'était très bien ainsi.

Cette rencontre visant à nous décourager est importante. Les juges ne doivent pas faire d'erreur dans leur choix. Miss Canada est appelée à rencontrer des dignitaires et elle n'a que bien peu de temps pour faire bonne impression. Si elle est malheureuse, elle ne pourra laisser un bon souvenir de son passage.

Moi, j'étais certaine que tout irait bien, que je serais une bonne Miss Canada!

Chapitre 12

Mon rêve se réalise

Puis ce fut la soirée tant attendue. Dans les coulisses, la fébrilité atteint son paroxysme. On entend le régisseur de plateau qui crie : *«Five minutes to air time!»* Puis c'est le compte à rebours. Tout le monde prend sa position.

Dix, neuf, huit, sept, six, cinq... *Bon show tout le monde!* Deux, un... *c'est parti!* Au son de cette musique qu'on connaît toutes par cœur, les premières concurrentes s'élancent. Mon tour arrive. J'entre par le haut de la scène et me dirige tout droit vers le grand escalier. C'est comme si je vivais un rêve! Je sais qu'il y a des millions de personnes, les yeux rivés à leur petit écran, qui suivent cette émission, mais ce n'est pas à cela que je pense.

Non, je cherche les miens. Maman et mes sœurs Claudine et Anne ont fait le voyage en train le matin même, et papa est venu les rejoindre en avion en fin de journée. Je veux m'assurer que tout le monde est bien arrivé, qu'ils sont tous là, tout près de moi. Quand je les aperçois, je me sens rassurée et encouragée. Je vois aussi Mme Demers et plusieurs commanditaires qui se sont déplacés pour l'occasion.

Excitée par l'effervescence qui règne, je demeure confiante en mes capacités. Après tout, n'ai-je pas donné le maximum ces derniers jours? C'est du moins le sentiment qui m'habite. Mais je sais que la partie n'est pas encore gagnée et que ces deux heures vont filer à la vitesse de l'éclair. Je dois me concentrer. Ce n'est pas le moment de faire des gaffes. Je dois rester alerte, malgré l'adrénaline qui se déverse dans chacune des fibres de mon corps.

Pendant la pause qui suit le numéro d'ouverture, je tente de me détendre, de calmer les battements affolés de mon cœur. C'est d'autant plus difficile que je sais qu'au retour en ondes on annoncera déjà le nom des semi-finalistes. Mon Dieu, au moins faites que je sois dans les huit premières!

Histoire de faire durer le suspense, on nomme les semi-finalistes par groupes de quatre. Malheureusement je ne fais pas partie des premières qu'on appelle. L'angoisse m'étreint. Et si tout allait s'arrêter là?

Après le petit discours d'usage de chacune d'entre elles et une autre pause publicitaire, nous revoilà en position sur scène, prêtes pour le dévoilement des quatre dernières semi-finalistes. Mon nom est appelé le premier. Quel soulagement!

À mon tour, je présente mon petit laïus qui traite de la mode, puis j'attends que les autres aient terminé. On se dirige toutes ensemble vers les coulisses afin d'enfiler nos maillots de bain, pour l'étape suivante. Alors que je me prépare, j'entends l'une des filles crier: «*Let's go Miss Hamilton, you can beat this Miss Laval!»* (Vas-y Miss Hamilton, tu peux battre cette Miss Laval!)

Cette phrase a sur moi l'effet d'un coup de cravache. Tout à coup, je prends conscience que je suis une menace réelle pour les autres filles. Mes chances doivent donc être très bonnes si des clans se forment ainsi. J'avais bien senti la tension monter ces derniers jours, mais je n'avais jamais remarqué que je n'avais pas la cote auprès des filles. J'ai su plus tard que certaines des candidates réagissaient mal à mon intense désir d'être Miss Canada. Il est vrai que je ne m'étais jamais cachée pour affirmer haut et fort que je voulais gagner. Pourtant, jamais je n'aurais écrasé l'une d'elles pour décrocher le titre. Peut-être me trouvaient-elles trop décidée ou me croyaient-elles prétentieuse?

Aujourd'hui, on suggère aux athlètes de faire de la visualisation avant les compétitions. Je ne connaissais pas cette technique, mais j'ai vraiment visualisé mon Miss Canada. JE ME VOYAIS sur la passerelle, avec ma couronne sur la tête à souffler des baisers à tout le monde. Je savais aussi que j'allais pleurer.

Une fois le défilé terminé, toujours secouée par ce que j'avais entendu, je me prépare au retour de la pause. Cette fois-ci, ils choisiront les quatre finalistes au titre de Miss Canada 1981. Je veux être là! Tout mon être est concentré sur cette pensée. Ça y est! Encore une fois, mon nom sort le premier. Je viens de franchir un autre pas vers la victoire. Je respire.

Une folle assurance m'envahit alors. Je sais que j'ai le potentiel, autrement je ne me serais pas rendue si loin.

Souriante, je me concentre très fort pour ne pas rater ce qui me reste à faire.

Je suis un peu inquiète pour la question impromptue, car on n'a aucun moyen de se préparer une réponse étant donné qu'on ne sait pas du tout quel sujet sera abordé. Mais je fais confiance à ma spontanéité. À Miss Laval, c'est d'ailleurs cette question qui avait fait pencher la balance en ma faveur. On m'avait demandé:

«S'il vous restait six mois à vivre, que feriez-vous?

– J'en profiterais pour vivre au maximum, pour voyager, pour faire tout ce que je n'ai jamais eu le temps de faire. Je serais tellement occupée que je mourrais probablement d'épuisement avant le temps.»

Tout le monde avait bien ri. Les juges aussi. Mais à Miss Canada, la question m'embêtait davantage: «Tu as exprimé le désir de devenir chanteuse. Quelles sont, d'après toi, les qualités nécessaires pour devenir une bonne chanteuse?»

Zut, c'est vrai! J'avais indiqué que je souhaitais devenir chanteuse. Mais depuis, j'avais bien compris que je n'en avais pas les qualités. Comment me sortir de ce guêpier sans avoir l'air d'une idiote? et surtout sans perdre toute mon avance? J'ai décidé de privilégier l'honnêteté. J'ai répondu qu'au fond, on n'était pas obligée d'être une excellente chanteuse pour réussir. On pouvait avoir moins de voix mais beaucoup de présence sur scène et que c'était aussi bien. J'ai parlé en anglais et en français. Je savais que le fait de m'exprimer dans les deux langues était un atout. Malgré mon énervement, j'ai repris ma place auprès des autres pour attendre la décision finale.

Une dernière pause publicitaire et l'animateur Jim Perry demande l'enveloppe dans laquelle est inscrit le choix final. Dans la salle, c'est le silence total. À un point tel que l'enveloppe semble faire un bruit d'enfer quand on la déchire. Puis, c'est le roulement de tambour, mais il me semble que c'est un murmure à côté du bruit sourd de mon cœur qui bat. J'ai la bouche toute sèche et le corps tendu comme un arc.

«The third runner-up is Sandra Demmerling, Miss Oakville.»

Fiou! Une de moins.

«The second runner-up is Joni Mar, Miss Vancouver.»

Plus que deux! Je pompe l'adrénaline à cent à l'heure. Dans la salle, je vois maman qui essaie de garder tout son calme et Claudine, Anne et papa qui retiennent leur souffle. Pendant que Jim explique l'importance de la deuxième position, Donna et moi nous tenons par la main. Je la sens aussi nerveuse que moi. J'ai l'impression que je vais exploser.

«The first runner-up is Donna Rupert, Miss Calgary!»

Comme dans les répétitions, je n'ai rien compris. Je n'arrive jamais à savoir si c'est la gagnante ou la dauphine qu'ils nomment en premier. Ils ne m'ont pas nommée. Ai-je perdu ou gagné?

Au même moment, j'entends la fin de sa phrase:

«Miss Canada 1981: Dominique Dufour, from Laval!»

J'entends quelqu'un crier! C'est étrange, on dirait que ce cri sort de ma bouche. Pourtant, c'est impossible, j'ai la bouche tellement sèche et la gorge tellement serrée. Je voudrais pleurer, mais mes yeux sont aussi secs que ma gorge. Sans transition, tout se bouscule autour de moi, puis tout semble se figer ou encore aller au ralenti comme lors d'un accident. Je vois Terry MacKay, la Miss sortante, se diriger vers moi avec la couronne et la bannière. On dirait qu'elle met une éternité à me rejoindre. Tout d'un coup, un énorme bouquet de roses, surgi de je ne sais où, se retrouve dans mes bras. Ça y est! Je suis vraiment Miss Canada!

Aujourd'hui encore, je ne peux regarder la vidéocassette de mon couronnement sans ressentir ce nœud dans la gorge. Je l'avais tant voulu, mon titre. Tant désiré. Et ça y était enfin! J'étais si fière.

Ça faisait 12 ans qu'il n'y avait pas eu de Miss Canada provenant du Québec. Comme ce n'était que quelques mois après la campagne référendaire de 1980, certaines mauvaises langues ont laissé entendre que j'avais sans doute été choisie pour inciter le Québec à demeurer dans la confédération. Heureusement, ma performance à Miss Univers, l'année suivante, a fermé les clapets. Les gens ont bien dû admettre que ma couronne, je l'avais eue pour d'autres raisons que la politique.

À ce moment-là, je ne sais rien de ces petites mesquineries. Je nage dans l'euphorie la plus totale. Je croule sous les fleurs, les accolades et les éclairs des photographes. Tout le monde veut me parler, me toucher, m'embrasser, me féliciter, me poser des questions. Je ne vois plus rien de ce qui se passe. En fait, je ne reverrai même pas les filles pour leur dire au revoir. Je ne retournerai même pas dans la chambre que je partageais avec Marilyn, Miss Red Deer.

Pendant que je jubilais, Barbara, mon chaperon, s'est rendue dans ma chambre, a fait ma valise et a tout transporté dans une autre. Miss Canada ne partage pas sa chambre. Miss Canada a SA suite. Ma nouvelle vie venait de commencer!

Elaine Anisman, la directrice générale, m'a ensuite emmenée au bal qui suit le couronnement. C'est une très belle réception avec champagne et cuisine raffinée. Il fallait que je rencontre tous les organisateurs des concours régionaux puisque Miss Canada doit se rendre couronner les filles lors des finales régionales. Dieu que j'en ai fait des couronnements, que j'en ai vu des jeunes filles les yeux pleins de rêves en me regardant mener cette vie qu'elles enviaient!

Nous ne sommes pas restés au party très longtemps car j'avais un programme chargé le lendemain. Je devais être à 10 h chez Aggies, le commanditaire des chaussures, pour une séance de signature et aussi pour essayer quelques nouvelles paires de souliers. Ensuite il y avait une visite chez le fourreur pour choisir mon manteau. Puis c'était l'inspection de ma garde-robe. On devait s'assurer que j'avais suffisamment de vêtements convenables pour les différentes activités à venir au cours des jours suivants, car je n'aurais pas le temps de retourner chez moi avant au moins une semaine.

La limousine m'attendait à la porte pour me ramener dans ma suite à l'hôtel. En arrivant, j'ai vu la même bannière qu'à mon arrivée quelques jours plus tôt, mais cette fois-ci il y était déjà écrit: «Félicitations à Dominique Dufour, Miss Canada 1981.»

Ce même soir, j'ai fait la connaissance de Margaret qui allait être mon chaperon officiel durant toute l'année. Elle m'a tout de suite expliqué ce qui m'attendait: les essayages, les réceptions, les séances de photos, les visites d'hôpitaux, les voyages et toutes les exigences et contraintes liées à mes nouvelles fonctions d'ambassadrice du Canada. Tout un protocole accompagne en effet ce titre.

Ce n'est que 10 jours plus tard que j'ai pu finalement revenir à Montréal pour la fameuse soirée de bienvenue qui a marqué la fin de mon amour pour Yves Ier et la certitude que je ne m'étais pas trompée dans mes choix. À cette soirée, il y avait aussi Léopold qui avait été invité à titre de commanditaire. Lui et sa femme étaient maintenant séparés. On a parlé et, en riant, on s'est rappelé l'époque du monologue à Clémence.

Un mois plus tard, lors d'une autre de mes visites, Mme Jeannine Demers, qui était à l'origine du concours Miss Laval, a organisé un souper avec ses commanditaires les plus importants. On devait être une quinzaine. Ce soir-là, j'étais assise en face de Léopold. On a rigolé toute la soirée et, à un moment il m'a dit :

« Si je t'invitais à sortir, je suis certain que tu dirais non.

– Pourquoi dis-tu cela ?

– Parce que je suis trop petit.

– Voyons donc ! Tu marcheras sur la partie haute du trottoir et moi en bas. »

À mon retour à Toronto, il m'a téléphoné à plusieurs reprises. Je le trouvais gentil. Ses appels m'aidaient à me sortir Yves de la tête. Ça me faisait du bien d'avoir ce lien avec mon ancienne vie. Il connaissait les sacrifices que j'avais faits pour arriver où j'en étais. Il comprenait le désir qui m'avait habitée. Et il était fier de ce que j'accomplissais. C'est ainsi, tout simplement, qu'on a commencé à sortir ensemble pendant mon règne de Miss Canada.

Chapitre 13

Rien de trop beau pour Miss Canada

TOUT doucement, je me suis installée dans ma nouvelle vie. J'habitais un très joli petit appartement situé au 3ᵉ étage d'un immeuble rue Rohampton, entre Eglington et Yonge, au centre-ville de Toronto. Une porte-fenêtre donnait sur la piscine extérieure. Je dois dire que j'ai été très chanceuse, parce qu'avant mon élection l'appartement avait été remis à neuf. On l'avait repeint et Elaine avait choisi de nouveaux meubles. Comme elle a beaucoup de goût, c'était donc vraiment très bien.

Ç'a tout de suite cliqué entre Elaine et moi. Je l'aimais beaucoup. Elle avait de la classe, était toujours très calme et savait donner d'excellents conseils. Malgré la dizaine d'années qui nous séparent (elle n'a jamais voulu me dévoiler son âge), nous sommes rapidement devenues de bonnes amies et le sommes restées.

Même si on m'avait offert une Chevrolet de l'année, je ne l'utilisais presque jamais. Heureusement que l'immeuble avait un stationnement, car elle y est demeurée garée pratiquement toute l'année. Miss Canada voyage pratiquement toujours en limousine. C'est plus prestigieux, et puis il faut bien avouer qu'il est plus facile d'arriver à l'heure à ses rendez-vous quand on n'a pas à se chercher une place de stationnement. Pour bénéficier de ce service, je n'avais qu'à téléphoner et à donner le code qui m'identifiait: «Bonjour Miss Canada, comment peut-on vous aider?» Je faisais part de mes besoins et on me suggérait le meilleur horaire et itinéraire permettant de contrer la circulation dense de Toronto et d'être à temps à mon rendez-vous. En général, on m'envoyait toujours la plus grande limousine. J'étais vraiment traitée comme une princesse. Tout le monde était toujours aux petits soins avec moi.

C'était la même chose quand je prenais l'avion ou le train. Je voyageais en première classe ou en classe affaires. Les plus beaux vols, c'est avec CP Air (Canadian Pacific), qui n'existe plus aujourd'hui, que je les ai faits. Le service était extraordinaire. Malgré tout, il m'est arrivé souvent de quitter mon siège non fumeur de première classe pour aller m'asseoir en classe économique et griller quelques cigarettes. Chaque fois, Margaret bouillait de rage, car elle se devait de me suivre. Elle, elle ne fumait pas. Ce n'était pas toujours facile avec Margaret. Elle prenait son rôle tellement au sérieux! À tout bout de champ, elle me sortait ses *Rules and Regulations*. C'était parfois lourd à supporter pour la jeune femme éprise de liberté que j'étais.

Je me souviens encore de cette fameuse soirée vins et fromages de Sarah Coventry, le commanditaire qui avait créé la couronne de Miss Canada. Ça faisait moins d'un mois que j'avais été couronnée et, ce soir-là, Margaret m'a interdit de prendre un verre de vin. C'était mon premier véritable contact avec les contraintes de ce travail. J'étais furieuse.

C'est ridicule. C'est une dégustation vins et fromages. J'ai l'air d'une Miss Canada qui ne sait pas se tenir en société! Margaret était une Écossaise. Elle roulait ses R.

«I am sorrrry Dominique but these are the RRRRules and RRRRegulations of Miss Canada.» (Je suis désolée Dominique, mais ce sont les règlements de Miss Canada.)

Ce qu'elle a pu me les sortir souvent, ses *Rules and Regulations*! Ce soir-là, en arrivant chez moi, j'ai appelé Elaine.

«On a toujours bu du vin dans ma famille. Et là, parce que je porte une bannière, je n'ai plus le droit d'en prendre. C'est totalement ridicule. Je ne suis plus une gamine. J'ai 21 ans et je sais me tenir. Pas question de me contenter d'un verre d'eau minérale quand tout le monde prend du vin. Si c'est comme cela, je n'irai plus, c'est tout.»

Je n'avais pas perdu mon caractère combatif. Je n'aimais toujours pas qu'on me marche sur les pieds et, si je voulais bien respecter les règles, encore fallait-il que je les comprenne. Après cette discussion, je n'ai plus eu de problèmes.

Mais Margaret n'avait pas oublié. Lors d'une visite ultérieure à Montréal, elle m'a suivie chez mes parents. Je pense qu'elle voulait vérifier si tout ce que j'avais dit était vrai. Elle voulait voir le milieu dans lequel j'avais grandi. De quelle façon j'avais été élevée. Je lui avais dit que j'étais très libre, que je prenais mes décisions toute seule et que mon *chum* avait le droit de passer des week-ends chez moi, à Toronto.

Une fois chez mes parents, j'ai bien pris soin de répéter tout cela devant maman. Je tenais à ce que Margaret sache que je n'étais pas une menteuse.

L'autre fait cocasse de cette visite, c'est que Miss Canada recevait 100 $ par semaine pour ses petites dépenses. On m'avait avertie qu'il me faudrait défrayer le coût de mes cigarettes, ce que je trouvais normal, ainsi que de mon dentifrice et de mes serviettes hygiéniques. Ces articles étaient considérés comme des menues dépenses personnelles.

Mais voilà que, sans que je lui aie demandé quoi que ce soit, maman lui explique que ses filles ne paient pas leur pâte dentifrice ni leurs serviettes hygiéniques à la maison. Margaret ne m'en a plus jamais reparlé.

Pendant toute l'année de mon règne, j'ai commencé à économiser.

J'étais vraiment gâtée. La grande majorité de ma garde-robe était confectionnée par Dominion Textile. Ils me fournissaient les tissus. Yolande Cardinal et moi choisissions les patrons Vogue et la couturière Anaïde créait les vêtements. J'avais aussi beaucoup de robes du couturier Wayne Clark. Comme j'avais exactement la taille de ses échantillons, il m'en prêtait souvent pour les grandes occasions. Je suis d'ailleurs partie au concours de Miss Univers avec une valise pleine de beaux vêtements qu'il m'a gracieusement prêtés. Quel homme charmant ! Évidemment, les commanditaires me fournissaient aussi les souliers, le maquillage et les manteaux de fourrure.

Pour le choix de ma garde-robe, Margaret me laissait assez libre. Elle se contentait de me guider en me suggérant de porter un vêtement pour tel événement et de le reporter pour tel autre. Une chose que je ne devais jamais oublier dans mes sorties était mon écharpe et ma couronne.

J'ai vraiment aimé cette période de ma vie. Je ne sais pas pourquoi on a mis fin aux concours de Miss au Québec. Peut-être pour des questions d'argent. Il faut dire que ça n'a jamais été aussi populaire ici que dans les autres pays. En Amérique du Sud, par exemple, c'est l'apothéose d'être une Miss. Les gagnantes des années passées sont toutes des vedettes aujourd'hui.

Celle qui m'a devancée à Miss Univers s'est présentée à la présidence de son pays, il y a deux ans. Elle est mairesse d'une petite ville, au Venezuela.

Ici, on a toujours vu cela comme un trip de filles. Lorsque j'ai gagné la couronne de Miss Laval au Sheraton, il y en avait des femmes, et même des hommes, qui se promenaient avec des affiches pour protester contre l'image de la femme-objet…

Jamais je ne me suis sentie comme une femme-objet. Plusieurs pensent que ce type de concours discrédite la femme et que seules les nounounes y participent. Au contraire, ça permet aux jeunes femmes de se jauger, de découvrir si elles possèdent des aptitudes pour travailler avec le public et de vivre des expériences uniques.

Qui s'est déjà payé un voyage au pôle Nord? Moi, j'y ai vécu pendant une semaine dans la noirceur la plus totale à - 50 °C. Quelle aventure! Puis, je suis partie de là pour me retrouver aux îles de la Reine-Charlotte en plein Pacifique, dans un climat quasi-tropical. J'ai aussi eu l'occasion de voyager à bord d'un Hercule, un avion des Forces armées canadiennes. J'ai pu m'asseoir sur le siège du commandant et j'ai même été attachée debout à un poteau au milieu du cockpit pour mieux observer le décollage et l'atterrissage. Je suis allée aux États-Unis — Chicago, New York, Miami — et aux Bahamas. J'ai visité Londres, où j'ai pu monter à bord du Concorde de British Airways et magasiner sur la célèbre Bond Street. Puis il y a eu les Caraïbes, la Martinique, la Barbade, Curaçao, Bonaire et aussi le Venezuela, et ce, sans compter toutes les visites dans les grandes villes canadiennes.

Jamais je ne me suis sentie utilisée. Au contraire. Ce que j'ai appris durant cette année-là, il m'aurait été impossible d'en faire la découverte sur un banc d'école. En plus, tout cela m'était offert et on me donnait même de l'argent de poche !

Comment, même en travaillant très fort, aurais-je pu me payer tout cela ? Pour moi, c'était une façon différente de poursuivre ma carrière de mannequin. Toutes ces visites, ces découvertes, ces rencontres, ces tournées, ces expériences comblaient mon insatiable curiosité. Mon esprit s'ouvrait et me rendait plus consciente du monde qui m'entourait. Il m'était alors facile d'être toujours de bonne humeur et souriante.

C'était plus compliqué dans ma relation amoureuse. Léopold était maintenant mon *chum,* mais on ne pouvait pas se voir très souvent. Heureusement, il était compréhensif et surtout, il n'était pas jaloux. Plus âgé que moi de 15 ans, il était doux et protecteur.

Il y avait également mon métier de mannequin que j'avais dû mettre sur la glace. La seule chose qu'on a pu voir de moi durant cette année-là, ç'a été les photos que j'avais faites pour Whisper. J'étais la fille aux longues jambes sur les emballages. La sélection avait été faite en octobre, un mois avant que je ne gagne Miss Canada, mais les revenus étaient versés au concours. C'était ainsi que ça fonctionnait. Tout ce que je faisais, je le faisais au nom de Miss Canada. Cléo Productions, l'entité juridique du concours, me gâtait, me chouchoutait, mais tous les salaires lui étaient versés directement. Je pense qu'à l'époque, les commanditaires devaient débourser environ 400 $ par jour, les dépenses en sus, pour avoir la possibilité d'accueillir Miss Canada à un événement ou dans un défilé.

Malgré tout, plus le temps avançait et plus je trouvais cela difficile. J'étais jeune, fougueuse, pleine de vie et j'étais tannée de me faire surveiller, de ne plus avoir de liberté. Et puis, tout était toujours si protocolaire.

Heureusement que Margaret était là pour faire le tampon entre les dignitaires et moi. Elle connaissait tout le monde. Elle me donnait des renseignements du genre: «Lui, c'est Monsieur Untel. Il est marié. Tu l'as rencontré déjà à tel endroit. Sa femme se nomme Unetelle et ils ont deux enfants.» Elle devait savoir tout cela. C'était son travail. C'était important que Miss Canada ne soit jamais prise au dépourvu. De plus, elle était très utile pour me débarrasser des types trop entreprenants.

On m'envoyait des lettres d'amour. Le plus amusant c'est que, comme ils n'avaient pas mon adresse, les gens écrivaient: Miss Canada, Toronto. Et ça se rendait. Comme les lettres au père Noël! Certaines étaient rigolotes, d'autres très touchantes. J'ai même reçu une très étrange demande en mariage d'un prince arabe qui était de passage à Toronto.

Il m'avait vue, m'avait trouvée belle et avait envoyé son garde du corps ou son secrétaire rencontrer Margaret pour lui demander ma main. Encore aujourd'hui, je ne sais toujours pas si cette histoire était sérieuse ou s'il s'agissait d'une blague. Quoi qu'il en soit, Margaret et moi en avions bien ri.

Chapitre 14

Et pourtant, j'étais si près du but...

Un des devoirs de Miss Canada était la participation au concours Miss Univers. En 1981, le *Miss Univers Pageant* était télédiffusé, le 20 juillet, en direct de New York. Il me fallait partir plus tôt car on doit compter trois semaines intensives de travail pour ce prestigieux concours qui réunissait alors 76 candidates du monde entier. Margaret n'était pas du voyage puisque, à mon arrivée à New York, un chaperon de l'organisation américaine me prenait en charge.

Nous étions toutes logées au nouvel hôtel Parker Meridien au 56th Street West, au cœur de Manhattan. Ma compagne de chambre était Elisabet Traustadottir, Miss Islande. Cette fois-ci, en ouvrant la porte de ma chambre, la première chose qui m'a sauté aux yeux, c'est la vue magnifique qu'offrait la fenêtre sur Central Park. Wow! Je dois admettre que c'était assez impressionnant.

Miss Univers, c'est beaucoup plus gros que Miss Canada, donc nécessairement plus compliqué à gérer. Le principal défi était de réussir à faire travailler ensemble 76 filles ne parlant pas la même langue. Le temps que les trois chorégraphes aient fini de traduire leurs consignes en chinois, en allemand, en espagnol et en anglais, tout le monde était épuisé. Comme je comprenais et parlais l'anglais tout en étant francophone, on m'avait confiée la traduction pour Miss France, Miss Belgique et plusieurs déléguées d'Afrique.

Après les répétitions, alors qu'épuisées nous aurions aimé nous relaxer tranquillement au bord de la piscine ou visiter librement New York, venait la ronde des commanditaires (les restaurateurs font leur publicité en invitant leurs clients à rencontrer les finalistes de Miss Univers). Donc, chaque jour après les répétitions, il fallait nous faire belles avant de nous rendre dans les endroits à la mode pour le souper.

De plus, il y avait les différents tournages publicitaires qui seraient présentés durant la télédiffusion du gala. Ces segments sont importants pour la visibilité de la ville hôtesse. Il fallait donc faire semblant d'être surprises par la caméra alors qu'on profitait d'un moment de liberté pour découvrir les attraits touristiques. En réalité, tout était préparé et réglé au quart de tour. Les journées étaient passablement longues. Debout à 6 h 30, nous parvenions rarement à nous coucher avant 23 h 30 ou minuit. À ce rythme, dès la fin de la première semaine, nous étions toutes très fatiguées.

Nous étions très surveillées. Partout où nous allions, nous voyagions dans deux autocars et nous étions toujours escortées par des gardiens de sécurité. Il ne faut pas oublier qu'il y avait des filles d'Israël, du Liban et de partout dans le monde.

Comme pour Miss Canada, nous devions rencontrer les juges pour des évaluations. En entrant dans la salle pour ma première entrevue avec eux, je vois Julio Iglesias assis à une table au fond. Dès qu'il m'aperçoit, il se lève et me crie: «Miss Canada, je te l'avais dit que je serais juge à Miss Univers!»

D'un seul coup, tout le monde a cessé de parler pour regarder qui venait d'entrer.

Nous nous étions rencontrés, lui et moi, en juin 1981, alors que, de passage à Montréal, il participait à l'émission de Michel Jasmin à laquelle j'étais aussi invitée. Lorsque Michel m'avait demandé quelle allait être la prochaine étape pour Miss Canada, j'avais répondu que je me rendais au gala de Miss Univers en juillet. Julio Iglesias m'avait alors dit: «Ah, mais je serai juge à Miss Univers!» Sa réplique m'avait amusée, mais j'étais demeurée sceptique. Et voilà que non seulement il m'avait dit la vérité, mais il me reconnaissait.

J'avoue que ça m'a fait un petit velours. Une quinzaine d'années plus tard, j'ai à nouveau eu le plaisir de le présenter au public lorsqu'il est venu au Centre Eaton, à Montréal. On l'avait prévenu qu'il m'avait déjà rencontrée. En me voyant, il m'a prise par le cou, m'a embrassée et m'a dit de sa voix chaude, avec son accent: «Je me souviens de toi. Tu étais au concours Miss Univers il y a plusieurs années.» Ça m'a vraiment fait chaud au cœur.

Mais revenons à Miss Univers. Je n'étais pas vraiment emballée. Il faut dire que j'étais fatiguée de mon année à titre de Miss Canada et je ne me voyais pas donner encore un an de ma vie. Je commençais à trouver que c'était un travail plutôt lourd et ennuyeux. La passion n'y était plus et le désir de gagner encore moins.

Mais ce qui m'a réellement fait décrocher, c'est un événement qui s'est produit deux ou trois jours avant la compétition. Nous étions en pleine répétition au théâtre Minskoff et, pendant la pause, j'étais assise avec ma mère et Kim Seelbrede, Miss USA, avec qui j'étais devenue très amie. Encore une fois, le poulet frit de notre boîte à lunch était froid. On mangeait vraiment très mal durant les répétitions et on en avait ras le bol. Pendant qu'on discutait de ça, le vice-président de Miss Univers s'arrête à notre hauteur pour voir si tout va bien. Malheureusement, Kim lui fait part de ses récriminations.

Il l'a regardée d'un air supérieur et, devant ma mère et moi, lui a dit en élevant le ton et en scandant les mots, comme si elle était une retardée mentale: «Miss USA ne se plaint jamais, Miss USA est parfaite, Miss USA aime le poulet, Miss USA sourit tout le temps.» Kim s'est mise à pleurer. Moi, j'ai regardé ma mère et je lui ai dit: «Je ne crois pas que ça me tente d'être Miss Univers et de travailler avec des gens comme cela. Si c'est ainsi qu'il traite SA Miss USA, comment vais-je être traitée, moi?»

Jamais, en tant que Miss Canada, on ne m'avait répondu de cette façon et, malgré cela, j'avais hâte que se termine mon règne. J'étais fatiguée de toujours sourire à des inconnus, être disponible pour partir ici et là, être loin des miens. Je ne me voyais vraiment pas consacrer une autre année de ma vie à une organisation dont le vice-président semblait n'avoir aucun respect envers les filles avec qui il travaillait.

Vers la fin de la troisième semaine, j'en avais plus qu'assez. J'avais hâte de revenir à une vie normale. C'est pourquoi j'ai été très surprise lorsqu'en me rendant mon passeport (ils le prennent à l'arrivée et le remettent la dernière journée avec les billets d'avion), quelqu'un m'a dit: «On espère que tu n'auras pas besoin d'utiliser ton billet de retour demain matin.»

Je n'ai pas immédiatement compris l'allusion. Ces femmes qui travaillent toute l'année dans l'organisation de ce concours avaient certainement compris que j'avais des chances et elles tentaient de me donner un indice, mais je ne l'ai pas saisi.

Il a fallu qu'elles m'expliquent clairement que j'avais toutes les chances de gagner le concours; j'ai trouvé cela flatteur et les ai remerciées, mais je ne pensais vraiment pas que j'avais le potentiel physique pour être Miss Univers. De toute ma vie, je n'avais jamais vu autant de belles filles réunies en un même lieu. Évidemment, encore une fois, je savais qu'une bonne moitié d'entre elles pouvait être éliminées pour toutes sortes de raisons. Mais dans l'autre moitié, il y avait de véritables beautés. En général, la télévision ne leur rend pas justice.

Moi qui avais tellement visualisé ma réussite en tant que Miss Canada, là, tout ce qui m'intéressait était de faire honneur au Canada et de me classer parmi les 12 semi-finalistes. Je voulais tout simplement me démarquer du groupe et offrir une aussi bonne performance qu'au Miss Canada Pageant de l'année précédente. Mais surtout, et ça, ça peut paraître puérile, je voulais porter la belle robe de bal que Wayne Clark avait créée spécialement pour moi, selon mes goûts.

Je lui avais demandé qu'elle monte jusqu'au cou, qu'elle ait des paillettes, qu'elle couvre mes bras et qu'elle soit noire.

Je n'avais jamais vu de robe noire aux concours de Miss. Comme si c'était une couleur taboue. Eh bien, je serais la première! Je la trouvais sublime. Quand je la mettais, j'avais l'air d'une reine. Je voulais que tout le monde la voit! Je voulais la porter pour faire honneur à son designer.

Le grand soir est finalement arrivé. Me voici donc en compagnie des 75 autres filles sur une scène en plein cœur de Broadway. Eh oui, j'ai chanté et dansé sur Broadway au Minskoff Theater. Pas mal, non? Bob Barker, qu'on connaît bien ici grâce à son émission *The Price Is Right*, agit comme maître de cérémonie. Comme au Miss Canada Pageant, je suis très énervée, mais j'ai confiance en la réussite des préliminaires. Suffisamment en tout cas pour faire partie des 12 semi-finalistes.

Le décompte commence, mais mon nom ne sort pas. Je ne comprends pas. Pourtant, je devrais me classer. Je veux être dans les 12 premières. Il y a maintenant 11 filles au milieu de la scène. Il ne reste plus qu'une seule place: «*And the last spot here...*» (Et la dernière est...)

Autour de moi, il reste toutes celles qui, selon moi, avaient autant de chance que moi d'occuper cette position. J'ai l'impression que ça prend une éternité avant d'entendre: «*The last spot is for Miss Canada!*» (La dernière place est pour Miss Canada!)

C'est moi. Je respire. Maintenant, je vais pouvoir me détendre et avoir du plaisir. Mon but est atteint. Souriante, je participe au défilé en maillot de bain, une routine pour moi. Puis vient la fameuse question impromptue, tellement plus stressante. Dans la biographie que j'avais fait parvenir et qui me présentait, j'avais écrit que j'aimais écouter l'émission *The Price Is Right* avec mon père et que j'étais vraiment une groupie de son animateur. Et c'était vrai!

Bob Barker me demande donc qui est mon animateur de télévision préféré. Mais voilà que je comprends mal la question et que je lui réponds: «*The Price Is Right.*» Il a trouvé cela bien drôle et il a crié à mon père, dans la salle, qu'il venait de gagner un réfrigérateur. Je n'en revenais pas de m'être trompée. Je ne crois pourtant pas que cette petite erreur ait eu quelque incidence sur le résultat final. On savait que j'étais francophone et je crois que ç'a bien été récupéré.

Avec fierté, je défile avec ma belle robe noire et je prends position avec les 11 autres filles sur les marches du grand escalier pour entendre le nom des 5 finalistes. Je souris et j'écoute à peine. Pour moi, la boucle est bouclée. Mon rôle est terminé.

À ma grande surprise, j'entends mon nom. Aïe... Là, je ne m'amuse plus du tout. En commençant à descendre les marches pour me placer avec les quatre finalistes, mes nerfs lâchent tout d'un coup. Je suis vraiment nerveuse. Un combat fait rage à l'intérieur de moi. Le désir de gagner vient de refaire surface. Et là, tout à coup, je commence à regretter de n'avoir pas mis autant d'efforts que pour Miss Canada. C'est dans cet état de nervosité extrême que commencent les éliminatoires.

Quand arrive la dernière question (la même pour toutes les finalistes) je suis un peu embêtée. J'aurais dû faire appel à un traducteur, ça m'aurait permis d'allonger mon temps de réflexion. Mais je m'en sors quand même pas si mal.

À nouveau, c'est le décompte. Nous sommes quatre. Puis trois et finalement deux. Je n'oublierai jamais l'affolement total dans ma tête. Je n'arrive pas à me décider si je veux gagner ou pas. Nous ne sommes plus que Miss Venezuela et moi sur scène !

Dans la salle, c'est l'hystérie totale. Je regarde tous ces gens et je suis complètement bouleversée. Évidemment, le maître de cérémonie a pour objectif de faire durer le plaisir. Il étire donc le moment pour laisser monter la tension. L'émotion est euphorisante, mais je ne trouve plus ça drôle du tout.

Quand il nomme Miss Venezuela, un grand soulagement s'empare de moi. Simultanément une immense déception m'accable. Qu'est-ce qu'elle a de plus que moi ? Qu'est-ce que j'ai bien pu faire d'incorrect pour perdre si près du but ? Je me reproche de ne pas avoir mis suffisamment d'efforts. Deuxième, c'est trop proche de la victoire.

Après le gala, toutes les participantes, leurs amis et leurs familles sont invités au Studio 54. À mon arrivée, on m'emmène immédiatement dans le bureau du patron de la discothèque. Le premier ministre du Canada, Pierre Elliot Trudeau, désire me parler au téléphone. À Montebello pour le sommet du G7, il a écouté la finale de Miss Univers en compagnie des autres chefs d'État, et il désire m'offrir ses félicitations pour la façon dont j'ai représenté le Canada (c'est la première fois qu'une Canadienne se classe deuxième au concours Miss Univers).

Dès que je termine ma conversation avec M. Trudeau, l'acteur Lee Majors, qui était également juge au concours, entre dans la pièce, s'approche de moi, m'appuie contre le mur et essaie de m'embrasser. Il me dit qu'il a voté pour moi et qu'il est déçu du résultat final, que c'est moi qui aurais dû être couronnée. Aujourd'hui je rigole en pensant que j'ai embrassé *L'homme de six millions*. En fait, c'est plutôt lui qui m'a embrassée !

Après les émotions du couronnement, la conversation avec Pierre Elliott Trudeau, le baiser raté de Lee Majors, j'étais dans un bel état d'excitation. Il était déjà très tard quand j'ai constaté que je n'avais pas encore vu mes parents. À 2 h du matin, les autocars nous ont finalement ramenées à l'hôtel. Malgré l'heure tardive, j'ai tout de même décidé d'aller les réveiller. De toute façon, je savais que je serais incapable de dormir.

Ma mère m'a prise dans ses bras, m'a félicitée, mais j'avais aussi hâte d'avoir le point de vue de mon père. Quand il a finalement ouvert les yeux, je lui ai demandé :

« Es-tu content ? As-tu aimé ça ?

– Oui, mais ce n'est pas comme si tu avais gagné. On ne se souvient jamais de la deuxième.

– C'est quand même pas si mal d'être deuxième.

– *Show me a good looser an I'll show you a dummy!* (Montre-moi un bon perdant et je te montrerai un imbécile !) » qu'il me dit encore à moitié endormi.

Ce commentaire m'a fait l'effet d'un coup de poing en plein visage. Mon père, c'est un gagnant, et pour lui rien n'est pire que la deuxième position. Il était déçu par ma piètre performance. Profondément blessée, je suis sortie de la chambre sans savoir que je traînerais cette blessure pendant des années. La suite des événements aurait sans doute été beaucoup plus harmonieuse si je n'avais pas eu ce commentaire ravageur. J'ai toujours eu une relation tumultueuse avec lui après cet épisode. Je lui en voulais. J'avais toujours cette douleur fichée dans la poitrine. Je sais que mon père ne s'est pas rendu compte de la peine qu'il m'a faite. D'ailleurs, quand je lui en ai reparlé quelques années plus tard, il ne s'en souvenait même pas.

Mon père est un homme fier. Il a de la détermination et il se bat toujours pour gagner. Il a été le meilleur golfeur amateur de la province de Québec pendant des années. Il a fait partie des meilleurs Canadiens à représenter le Québec à la coupe Wellington. Il a gagné tous les championnats amateurs, les ProAm. Quand on mentionne le nom de Claude Dufour, c'est une sommité au golf. Et puis, il a commencé emballeur pour devenir vice-président d'une grosse compagnie. C'est un gagnant!

Quand j'avais remporté le titre de Miss Canada, mes parents étaient contents et très fiers. Ils avaient exposé ma couronne et mon écharpe, avec des photos de moi partout dans la maison. Comme mon père était chef d'entreprise et membre d'un club de golf prestigieux, tout le monde savait qu'il était le père de Miss Canada. J'étais sa fierté. Pour lui, c'était sans doute très difficile de dire que sa fille avait échoué si près du but.

Cette nuit-là, je n'ai pas dormi. Je savais au fond de moi que, si j'avais vraiment voulu ce titre, j'aurais mis davantage d'efforts et je l'aurais décroché. L'année qui a suivi son couronnement, j'ai souvent souhaité que Miss Venezuela abandonne son rôle et que je puisse prendre la relève pour goûter la sensation d'être Miss Univers. L'année suivante, quand Karen Baldwin, la nouvelle Miss Canada, a remporté le titre de Miss Univers, je l'ai enviée très fort ce soir-là, devant mon téléviseur.

À mon retour à Toronto, j'avais perdu l'envie de poursuivre mon travail de Miss Canada. Pourtant, les trois mois qui restaient, j'ai su demeurer professionnelle, malgré la lourdeur de la tâche et la tristesse de mon cœur. C'était d'autant plus difficile que partout où j'allais, on me disait être déçu pour moi, que j'aurais dû gagner, etc. Chaque fois, ça me ramenait à ce que je percevais comme un échec. J'avais hâte que tout se termine.

En fait, j'étais un peu comme ces enfants qui se plaignent d'aller à l'école et qui rêvent de la liberté qu'ils auront en travaillant. Plus tard, quand ils travaillent, ils racontent ces années d'école avec nostalgie.

Alors, quand novembre est arrivé, j'ai remis ma couronne à Karen Baldwin, Miss London, avec beaucoup de plaisir. Je me sentais libérée. Ce n'est que plus tard, après quelques mois de repos, que j'ai pu faire un bilan et apprécier mon année à sa juste valeur.

Chapitre 15

Dur retour à la réalité

L E lendemain du *Miss Univers Pageant,* il y avait un grand déjeuner où l'on remettait un trophée à chacune des participantes. Malheureusement, j'étais déjà partie. Comme mon horaire de Miss Canada était très chargé, j'avais demandé à Elaine de me réserver une place dans un avion le plus tôt possible après le gala. Je désirais avoir un peu de temps chez moi pour me reposer, faire ma lessive et profiter un peu de mon appartement.

Mon trophée m'a été expédié par Purolator. J'ai même dû le faire dédouaner puisqu'il arrivait de New York. Je me souviens encore de la tête du douanier quand je l'ai déballé et qu'il a vu l'emblème Miss Univers (un globe terrestre) surmontant une coupe énorme. Il était si impressionné qu'il en a oublié de me faire payer les frais.

Malheureusement, il était cassé. J'y ai vu comme une espèce de symbole. J'étais brisée aussi. Les mots de mon père dansaient toujours dans ma tête. Et le pire, c'est que durant tout le reste de mon parcours, quand on me présentait, on se faisait toujours un devoir de préciser fièrement que j'étais arrivée deuxième au concours de Miss Univers. Immanquablement quelqu'un me disait : «Tu aurais dû gagner. Comment te sens-tu?»

Mal. Je me sentais mal. Chaque fois, mon cœur se serrait. On aurait dit que je ne pouvais plus penser à rien d'autre qu'à cet échec et aux efforts que je me reprochais, de plus en plus, de ne pas avoir fournis. Pourtant, j'avais fait de mon mieux, mais je sais très bien que je n'avais pas désiré ce titre comme j'avais désiré celui de Miss Canada. Je comprenais les gens d'être déçus.

Lorsqu'est arrivé le moment de remettre ma couronne à Karen, je me souviens avoir poussé un grand soupir en disant : «Enfin, je suis libre!»

J'ai vite rempli ma petite Chevrolet avec toutes mes affaires et je suis partie. Sur la 401, je roulais la joie au cœur, la musique à fond. Nous étions en novembre, mais il faisait beau et, surtout, je rentrais enfin chez moi.

Mais j'ai rapidement déchanté. Je n'étais plus la même. Après un an à vivre seule, je partageais le sous-sol de mes parents avec mon frère qui écoutait sa musique. Il y avait du bruit. Je ne me sentais plus chez moi. Je ne savais pas à quel endroit mettre ma vaisselle, ma coutellerie, mes vases, mes manteaux, mes souliers, mes vêtements... J'étais totalement déboussolée.

Aujourd'hui, avec le recul, je crois pouvoir dire que c'est la plus grande lacune d'un concours comme celui-là. On prend une jeune fille, on lui offre une vie de rêve, on la traite comme une princesse puis, un beau matin, on la retourne chez elle en disant : «Voilà, c'est terminé!» Fini les dépenses payées! Fini la limousine! Fini les belles sorties, les belles robes, les courbettes! C'est la réalité plate. Je crois qu'il m'aurait fallu un minimum de préparation psychologique. Même si j'avais hâte de recouvrer ma liberté, je ne pouvais pas imaginer ce que serait l'après-Miss Canada.

J'aurais pu retourner voir Audrey Morris. D'ailleurs elle était prête à me reprendre et Kevin était certain que je reviendrais. Mais ça ne me tentait pas. Je ne voulais plus voir personne. Je ne voulais pas parler, je ne voulais pas sourire. Tout m'ennuyait, me déprimait. J'étais de plus en plus détestable. Ma sœur Claudine qui était revenue vivre à la maison me disait que je n'étais pas endurable. C'était vrai.

Je lui interdisais de toucher à mes affaires. J'étais devenue égoïste. Pourtant je possédais tellement de choses qu'il était impossible de les utiliser toutes en même temps. Les mascaras, les fards à paupières, les rouges à lèvres, j'aurais pu en donner à toutes mes sœurs sans épuiser mon stock avant au moins cinq ans, mais il n'en était pas question. Juste au cas où j'aurais besoin de CETTE couleur.

Même chose avec les collants et les bas-culottes. J'avais des caisses de bas Whisper, il m'en reste encore 20 ans plus tard. Mais je ne voulais même pas en prêter.

J'étais agressive aussi. J'en avais ras le bol d'être toujours gentille, fine, souriante. En fait, j'ai dû leur faire la vie pas mal dure. Mes sœurs sont bien bonnes de m'avoir pardonné si volontiers!

Avant Miss Canada, je n'étais pas ainsi. J'ai toujours été quelqu'un qui n'avait pas la langue dans sa poche, d'accord, mais je n'étais pas détestable. Je le suis devenue après. Et, bien entendu, c'était toujours les gens que j'aimais qui encaissaient.

Durant cette période, j'étais en grande discussion avec Léopold et Mme Demers qui avaient tous deux décidé d'ouvrir une agence de mannequins avec la possibilité de lui faire porter mon nom. À l'époque, il y avait seulement deux agences à Montréal : Audrey Morris et Constance Brown. Cette dernière n'offrait pas de cours de mannequin. Même si je n'avais que quelques années d'expérience dans le milieu de la mode, Léopold et Mme Demers voulaient que je m'investisse beaucoup, car ils souhaitaient profiter du fait qu'on avait souvent parlé de moi dans les médias.

Ma mère n'était pas d'accord pour que je me lance en affaires. Elle trouvait que c'était beaucoup trop rapide. Elle aurait aimé que je prenne un peu de recul. Aujourd'hui, je sais qu'elle avait raison.

Au début de décembre, elle m'a proposé de l'accompagner en Floride où elle et papa venaient d'acheter une maison mobile. Elle désirait que je l'aide à rendre l'endroit habitable. Ça m'a fait du bien d'être en vacances en sa compagnie. J'ai fait du ménage, ce que je n'avais pas fait depuis un an. Puis, j'ai dormi et j'ai lu. Le stress a commencé à me lâcher et j'ai pu réfléchir à ce que j'allais faire. En fait, j'aurais dû prendre une année sabbatique puis retourner travailler comme mannequin avant de me décider à faire autre chose.

Surtout que pendant un défilé de mode de Mary McFadden à New York, lors du concours Miss Univers, j'avais été approchée par l'agence Ford. On m'invitait à me joindre à elle pour travailler à la fin de mon contrat de Miss Canada. Ce n'était pas très courant, dans ces années-là, d'aller travailler ailleurs comme mannequin. Qui sait, si j'avais tenté ma chance, peut-être aurais-je mené une carrière internationale? Je n'ai jamais rappelé l'agence américaine. J'ai plutôt choisi d'ouvrir l'École et Agence de mannequins Dominique Dufour. Je l'ai toujours regretté.

J'ai donc mis ma carrière en veilleuse et je me suis installée dans les bureaux situés au-dessus du salon de coiffure de Léopold, rue Notre-Dame dans le Vieux-Montréal, et, du coup, je suis partie vivre avec lui à Saint-Eustache. Je crois que toute la famille a poussé un ouf de soulagement quand ils m'ont vue faire mes bagages.

L'agence n'a pas été une période marquante. Mon école était reconnue par le Ministère, elle était bien cotée et les filles en avaient pour leur argent. J'avais de bons professeurs, mais ce n'était pas mon rêve. Je me sentais un peu comme une vendeuse et j'ai toujours détesté cela.

Quand les filles venaient s'inscrire, je n'étais pas capable de leur mentir et de leur assurer qu'à la fin de leurs cours elles deviendraient mannequins. Je préférais leur dire la vérité alors, bien entendu, ce n'était pas rentable.

C'est moi qui dirigeais. Léopold me laissait libre, mais je n'étais pas heureuse. Pour moi, le carrosse s'était changé en citrouille. Après le *glamour* de Miss Canada, je me retrouvais derrière un bureau au-dessus d'un salon de coiffure. J'étouffais. Finalement, j'ai essayé de vendre mais, sans la permission d'utiliser mon nom, personne ne voulait acheter. Pour moi, il n'était pas question de laisser mon nom accolé à une école dans laquelle je n'aurais aucun pouvoir décisionnel. J'ai toujours fait attention à ma réputation. C'était important pour moi. Ça l'est toujours. Quand on a fermé, on avait des dettes et j'ai tout payé. Tout le monde a été remboursé. Mais toute cette histoire m'a coûté de l'argent sans que je fasse un sou. Ça m'a tout de même permis d'apprendre que je ne suis pas une femme d'affaires, et que les affaires, c'était terminé pour moi. Pour le reste de ma vie.

Entre-temps, tout avait pris fin entre Léopold et moi. Il avait été une très belle transition, mais je sentais que je devais passer à autre chose. Ça aussi, ce fut une décision difficile. Surtout que, tout le temps où j'ai dirigé l'agence, comme on ne gagnait pas un sou, c'est lui qui me faisait vivre. Et je vivais grassement. Nous avions une belle grande maison à Saint-Eustache, je me promenais en Mercedes, etc. Le quitter, c'était abandonner ma sécurité et pour moi la sécurité est quelque chose de très important. Je ne savais vraiment plus comment m'en sortir.

C'est mon ami Raymond qui m'a suggéré de reprendre mon travail de mannequin. Raymond était l'associé de Mme Demers pour le concours de Miss Laval. C'est à cette occasion que je l'ai rencontré et nous sommes rapidement devenus de bons amis (nous le sommes toujours).

Je l'aime beaucoup. C'est un gars direct, de bon conseil, qui sait où il s'en va. C'était aussi mon grand confident, *mon ami de fille* comme je l'appelle. Il ne s'offusque pas de ce petit surnom qu'il sait plein de tendresse. Il est gai et il s'affiche. Je lui avais donc parlé de mon désir de quitter Léopold, de vendre l'agence, mais aussi de mes craintes face à l'avenir.

Connaissant tous mes secrets, Raymond m'appelle un beau matin pour me dire qu'il déménage et me demande s'il doit prendre un appartement avec une ou deux chambres. Il m'invite à visiter avec lui. Il avait compris qu'il lui faudrait me forcer la main. Il avait tout organisé. J'étais tentée de le suivre, mais mon budget ne me le permettait pas.

C'est alors qu'il m'a vivement conseillé de reprendre mon travail de mannequin en m'assurant qu'il serait à mes côtés et qu'il m'aiderait. J'ai donc quitté Léopold et, comme je ne voulais plus avoir de liens avec lui, je fermais l'école six mois plus tard. Je savais qu'il m'aimait encore beaucoup et qu'il avait de la peine. Le voir souffrir me faisait horriblement mal. J'avais l'impression qu'en coupant les ponts pendant un certain temps ça lui faciliterait la vie.

Ma sœur Claudine faisait partie des 10 mannequins les mieux cotés à Montréal à ce moment-là. Je me suis donc tournée vers elle et lui ai demandé de m'aider à revenir dans le milieu. Malgré le fait que j'aie été si détestable avec elle à mon retour de Miss Canada, elle m'a vraiment prise sous son aile. Si elle n'avait pas été là, je ne crois pas que j'aurais eu autant de succès. Je lui dois beaucoup. Même si je n'avais jamais totalement abandonné, le milieu avait changé en deux ans. Grâce à elle, j'ai petit à petit renoué avec les grandes maisons, les designers, les coordinatrices de mode, les mannequins, les clients. Elle me refilait tous les contrats qu'elle ne pouvait pas prendre.

Ç'a tout de suite marché très fort. Le téléphone sonnait constamment. La première saison, j'étais devenue la remplaçante officielle. D'autres mannequins m'offraient leurs contrats moins intéressants. Ce qui ne me dérangeait pas. Je revenais dans le circuit. J'avais tout plein de travail et j'adorais cela. C'était le bonheur, la liberté.

Et puis, j'étais amoureuse de Robert, un avocat. Mais encore une fois, j'avais choisi un homme pour qui je n'étais pas une priorité dans sa vie. Je me voyais dépérir comme dans le temps de mes amours avec Yves Ier. Je ne voulais pas retomber dans le modèle de la femme qui aime trop. Je l'ai quitté.

Quelques années plus tard, quand je me suis mariée avec mon homme, je lui ai dit que s'il voulait que je sois heureuse, il fallait que je sois la personne la plus importante dans sa vie. Nous sommes ensemble depuis 15 ans et je vis toujours avec ce sentiment très réconfortant.

Malgré cette séparation, j'avais le vent dans les voiles. Mon ami Raymond a vraiment été ma bouée de sauvetage. Onze mois après notre entente de colocataires, il m'a gentiment rappelé mes inquiétudes du début: «Tu étais comme un petit oiseau perdu qui se demandait ce qu'il allait faire de sa vie.»

C'était une période faste. Je travaillais beaucoup. Je me sentais libre. J'avais plein d'amis, et vraiment beaucoup de plaisir. Puis, un jour, j'ai dit à Raymond:

«Je crois qu'il est temps que je m'en aille.

– Oui, justement, je voulais t'en parler, je crois aussi que c'est le temps que tu voles de tes propres ailes.»

J'avais 27 ans et le goût d'avoir mon appartement, de le décorer, de me faire un chez-moi, ce que je n'avais vraiment jamais eu. Parce que même si j'avais vécu en appartement pendant le règne de Miss Canada, ce dernier avait été choisi et décoré par quelqu'un d'autre. C'était la même chose avec la maison de Léopold. Je me sentais prête mentalement et financièrement à me faire mon propre nid.

Et puis, j'étais de nouveau amoureuse. Je venais de rencontrer un homme d'affaires d'origine mexicaine qui avait 15 ans de plus que moi. Il avait déjà été marié et était le père de deux belles adolescentes de 14 et 11 ans.

Évidemment, il trouvait mon petit studio minable et il voulait que j'emménage avec lui. J'avoue y avoir pensé, mais j'avais besoin d'avoir mon chez-moi et j'y étais super heureuse. J'avais MON futon, MA bibliothèque, MON téléviseur, MA chaîne stéréo. Tout était décoré à la IKEA. C'était simple, mais joli. Et surtout, c'était CHEZ MOI!

Chapitre 16

La punition

J'AI toujours eu l'impression que les facteurs environnementaux contribuent au développement de certains cancers, mais je pense aussi que cette maladie peut être liée à des peines qu'on a vécues. Je crois profondément que notre corps subit la manifestation des stress.

Tout à coup, un couteau semble se planter dans mon cœur. Une plaie guérie mais toujours souffrante semble reprendre vie. Ce premier enfant que j'avais tant voulu, mais que pourtant j'avais obligé, par la force, à quitter le nid douillet de mon ventre... ce chagrin qui m'avait abîmée, serait-ce l'origine de mon mal?

Et là, prostrée dans la peur de ce cancer qui ronge le symbole de ma féminité, je sens une vague monter du fond de mes entrailles. Et plus elle monte vers mon cœur, plus elle grossit, au point que j'ai l'impression que je vais éclater. Les larmes inondent mon visage pendant que se déroule, dans mon esprit, ce misérable épisode du film de ma vie.

Pourtant, mon histoire avec mon Mexicain avait plutôt bien commencé. Cet être charmant m'avait immédiatement conquise. C'était un homme de goût, raffiné et surtout, j'adorais son petit accent, tout particulièrement quand il me murmurait des mots tendres.

Nous étions heureux. Du moins, je le croyais. J'avais bien remarqué qu'il était plutôt contrôlant et jaloux, mais je me disais que c'était parce qu'il m'aimait. Et moi, je l'aimais profondément.

Il me semble revoir encore cette soirée qui fut, en fait, le commencement de la fin. Nous étions chez lui, devant le foyer qui crépitait doucement, et comme chaque fois qu'il avait une idée en tête, il m'a convaincue qu'il serait charmé s'il nous arrivait un petit «accident». En riant et en me caressant, il me dit avec son accent: «Ce serrrait drrrôle d'avoirr un petit enfant.»

J'ai soudainement entrevu la possibilité d'être mère, d'une vie à deux. Et voilà que quelques mois plus tard, je découvre qu'effectivement je suis enceinte. C'était un hasard puisqu'il n'avait suffi que d'une seule fois, mais j'étais profondément heureuse. Pour moi, c'était clair que j'allais mettre cet enfant au monde. La vie était belle. Fièrement, je l'ai annoncé à mes amis, à ma famille. Lui ne le savait pas encore puisqu'il était parti en Europe pour son travail. Je ne voulais pas lui apprendre la nouvelle par téléphone alors j'attendais son retour avec impatience, certaine qu'il me prendrait dans ses bras et qu'on fêterait l'événement.

C'est donc fébrile que je suis allée l'accueillir à l'aéroport. Mais jamais je n'aurais pu prévoir la réaction qu'il a eue quand je lui ai annoncé la merveilleuse nouvelle.

Son visage s'est fermé. Pour lui, ce n'était pas drôle du tout. En un instant, le visage de mon père s'est superposé au sien et j'ai entendu ses paroles de mépris quand je suis arrivée deuxième au concours Miss Univers! On aurait dit que sa réaction venait de rouvrir cette blessure qui n'était pas encore cicatrisée. Encore une fois, je me sentais comme une petite fille qui se fait rabrouer. Ce moment qui aurait dû être le plus beau de notre existence s'est transformé en quelque chose de laid et de triste. Comment avais-je pu me tromper ainsi?

Au début, il a continué à faire comme si je n'avais rien dit. Puis, petit à petit, il a utilisé tout son charme et ses énergies pour me faire changer d'idée, et pour me faire accepter l'idée de l'avortement. Je me revois encore assise chez ma mère, devant ma sœur Anne qui, elle, était en clinique de fertilité, en train de leur annoncer, la mort dans l'âme, que je m'apprêtais à me faire avorter. Jamais je n'oublierai la tristesse des yeux d'Anne.

C'est lui qui a tout réglé. Il a pris rendez-vous chez le Dr Morgentaler, il est venu me conduire et me chercher ensuite. Sans doute tenait-il à s'assurer que je ne changerais pas d'idée. L'avortement a eu lieu le 14 février 1986, jour de la Saint-Valentin. Je le revois assis près de moi au bord du petit lit dans la salle de récupération. Il caressait mes cheveux en me disant qu'il m'aimait. Moi, j'étais dévastée. Comment pouvait-il me dire qu'il m'aimait? Je pleurais tellement. Je lui en voulais et je m'en voulais aussi. Comment pouvais-je le laisser diriger ma vie ainsi?

Il faut dire qu'il était doté d'une grande force de persuasion. À vivre à ses côtés, j'en étais venue à douter de tout. De ma personnalité, de ma façon de m'habiller, de mon maquillage, de ma coiffure. Là, dans cette clinique, une fois que j'ai ressenti mon ventre vidé de sa substance vivante, j'ai compris qu'il ne pouvait être l'homme de ma vie. Mais je ne l'ai pas quitté tout de suite.

En juillet, j'ai reçu un appel de Linda Googh de Toronto, une productrice de spectacles que j'avais rencontrée durant mon règne. Elle m'a parlé d'un projet qu'elle devait soumettre aux Forces armées canadiennes pour le contingent canadien au Moyen-Orient. Elle cherchait une animatrice pour la tournée de spectacles et elle voulait savoir si ce contrat pouvait m'intéresser.

J'ai dit oui immédiatement. J'étais certaine qu'il me ferait du bien de m'éloigner. Ça me permettrait de réfléchir, de voir où j'en étais. Même si mon Mexicain n'était pas d'accord et qu'il était jaloux, j'ai fait ma valise et je suis partie pour cinq semaines.

Pendant cette période, tout est devenu clair dans ma tête, mais surtout dans mon cœur. Je retrouvais mes moyens, mon indépendance, ma personnalité. Je n'arrivais pas à comprendre comment j'avais pu le laisser me manipuler pendant tout ce temps. Et surtout, je constatais avec effarement que je ne m'ennuyais pas du tout de lui. Il ne me manquait pas. Au contraire, je me sentais libérée. L'avortement avait tué l'amour que j'avais pour lui.

À mon retour du Moyen-Orient, il est venu me chercher à la gare. Je ne peux pas dire que j'étais excitée à l'idée de le revoir, car ma décision était prise. J'allais le quitter, mais je voulais attendre le bon moment. Cependant, je n'étais pas préparée à la suite des événements.

Le samedi qui a suivi mon retour, il m'a invitée à un souper aux chandelles. Et là, il m'a demandée en mariage. Il riait et me disait qu'il souhaitait qu'on ait des enfants! Des enfants? Je n'en croyais pas mes oreilles. Cet homme qui voulait m'épouser et me faire des enfants m'avait forcée, quelques mois plus tôt, à me faire avorter?

Ce soir-là, j'ai pris toutes mes affaires qui étaient chez lui et je n'y suis jamais retournée. Évidemment, j'étais un peu triste. Les ruptures me bouleversent toujours. Mais je savais que j'avais pris la bonne décision. Je ne l'ai jamais regrettée.

Après, je n'ai plus jamais reparlé de mon avortement. J'ai enfoui ce secret profondément dans mon cœur. Pourtant, la douleur est réapparue, plus intense encore quand, quelques années plus tard, j'ai perdu les deux enfants conçus avec l'homme de ma vie.

Chapitre 17

L'homme de ma vie

CET homme n'est pas apparu tout de suite dans ma vie. Il faut dire qu'après ma séparation d'avec mon Mexicain, c'était l'étape de la libération, une période exaltante. J'ai voyagé en Angleterre, en Allemagne, aux îles Canaries, en France. Je faisais toujours des défilés et de plus en plus d'animation, surtout depuis que j'avais suivi un cours d'animateur radio chez Promédia, en 1986. J'étais de nouveau libre et heureuse. Je m'amusais et je gagnais beaucoup d'argent.

Tous les jeudis soir, je sortais avec les filles. « Les filles », c'était Raymond, Michel, Claude, Chantal, Liliane. On sortait en célibataires. On allait manger au Thursday's, ensuite on allait danser à la discothèque en bas. Au cours de cette année-là, j'ai rencontré Larry. C'était un bon vivant, tout le monde le connaissait et il connaissait tout le monde. C'est lui qui m'a présenté Yves.

La semaine avant notre rencontre officielle, alors qu'on était tous attablés ensemble au Thursday's, Raymond m'avait dit :

«Regarde le beau gars qui arrive!

– Il ne m'intéresse pas. Il se fait pousser un casque de bain.»

Il avait le front passablement dénudé.

La semaine suivante, c'était à mon tour d'être assise face à la porte et je remarque un bel homme, très grand, costaud et élégamment vêtu d'un complet double boutonnière. Ses cheveux sont pâles, un peu clairsemés, il a un beau teint basané, des yeux ténébreux et une moustache presque blonde.

«Raymond, regarde le beau gars qui vient d'entrer!

– Niaiseuse, c'est le casque de bain de la semaine passée!»

C'est ce soir-là, à la discothèque, que j'ai fait officiellement la connaissance de celui qui allait devenir mon mari, par l'entremise de Larry, directeur des ventes de Radio-Cité. Yves travaillait pour lui.

Yves savait qui j'étais mais, à ses yeux, je n'étais pas accessible. Jamais il n'aurait pensé sortir avec moi un jour. Surtout qu'il croyait que tous les hommes étaient à mes pieds et que je n'avais que l'embarras du choix. C'est un homme fier! Il ne voulait pas s'ajouter à la liste de mes trophées.

À mesure que les semaines passaient, on se rencontrait régulièrement. Pour les gars aussi, c'était le jeudi, le soir de la sortie entre amis. Yves avait pris l'habitude de venir prendre un café avec nous après le repas. Il s'entendait bien avec Raymond et avec moi. On avait de belles conversations. On était amis, mais on ne sortait pas ensemble.

Curieusement, depuis que j'avais fait sa connaissance, on aurait dit que je le rencontrais partout. Je faisais un défilé pour Simpson, il était là. Je faisais une promo pour la Classique

DuMaurier, il était là. On s'amusait beaucoup de ces coïncidences. Chaque jeudi, on avait pris l'habitude de se faire la bise lorsqu'on se quittait avant de repartir chacun de son côté.

Un vendredi de septembre, alors que je m'apprête à aller chez mon coiffeur, je m'arrête dans le hall d'entrée de mon immeuble pour prendre mon courrier. Et qui est-ce que je vois traverser la rue Sherbrooke pour se diriger vers mon immeuble ? Yves.

Il trimballe un porte-document et, sur son bras gauche, un paquet de vêtements qui semblent sortir de chez le nettoyeur. Je me demande bien ce qu'il fait là. Je ne me souviens pas de lui avoir donné mon adresse, ni même mon numéro de téléphone. Je décide d'attendre. Il entre dans le lobby et semble tout surpris de me voir. Il me demande ce que je fais là.

« Je reste ici ! »

J'entends encore résonner son rire dans mes oreilles. M. Comtois, qui s'occupe de la location des appartements, et sa secrétaire sont même sortis pour voir ce qui se passait tellement Yves riait fort.

Entre deux hoquets, il finit par m'apprendre : « Je reste ici moi aussi ! »

Et il me donne son adresse. C'est fou ! Tout ce temps, on ne s'était jamais croisés. On n'en revenait pas. Tous ces soirs où l'on se faisait la bise, on prenait donc notre voiture pour retourner à la même adresse ? Dans des appartements séparés par quelques étages, dans le même édifice ? La raison pour laquelle on ne s'était jamais rencontrés, c'est que je stationnais dans le garage et lui dans la rue. Et puis, il y avait trois ascenseurs. Tout de même, on trouvait ça vraiment très fort !

Le plus incroyable, c'est que j'avais même tenté de louer son appartement. Celui-là même qu'il habitait. J'avais hésité parce qu'il était un peu plus cher que le mien, et quand finalement j'avais appelé pour dire que je le prenais, il était trop tard. Il avait déjà été loué. À lui!

Quand je suis arrivée au salon de coiffure, j'ai sauté sur le téléphone pour appeler Raymond.

«Devine un peu qui habite dans mon immeuble?

– (Silence.)

– Le casque de bain!»

Raymond riait comme un vrai fou.

Depuis quelque temps, Yves avait commencé à m'intéresser autrement que comme un ami. Je le trouvais beau, brillant, il était doté d'un bon sens de l'humour, bref, il me plaisait de plus en plus. Mais mon éducation m'interdisait de faire les premiers pas.

À partir de cette étrange rencontre, il est devenu très clair que je le voulais. Ça faisait longtemps qu'on avait une relation amicale et j'avais appris à lui faire confiance. Je sentais que je pouvais l'aimer. Jusqu'à maintenant j'avais toujours fréquenté des hommes riches et Yves était pauvre comme Job, mais il avait tellement d'autres qualités. Je savais qu'il me rendrait plus heureuse que tous les autres. À partir de cet instant, j'ai tenté de lui manifester mon intérêt.

Je ris encore des manœuvres que j'inventais pour qu'il me remarque. Malheureusement, ça n'avait aucun effet sur lui. Il ne croyait toujours pas qu'il pouvait me plaire. Je me souviens d'un soir où, pour sortir avec un autre, je l'ai appelé pour qu'il m'aide à attacher les nombreux boutons de la robe que je portais!

Même si je faisais tout pour attirer son attention, il ne se passait toujours rien. Il venait souvent à la maison, mais il partait toujours en me plaquant deux bisous sur les joues. Je rêvais qu'il m'embrasse. C'est finalement arrivé au retour d'un souper au restaurant. Ce soir-là, il a dormi chez moi et on ne s'est plus jamais quittés. Je me rappelle m'être réveillée le lendemain avec la certitude que je ne dormirais plus jamais seule. Je savais que je venais de trouver l'homme de ma vie.

On est allés vivre assez rapidement ensemble. Notre première année a été vraiment difficile. Yves est un homme merveilleusement bon et doux, mais il est également fier, orgueilleux et sûr de lui. Et je ne suis pas facile non plus. Je suis volontaire et je peux avoir une vraie tête de cochon.

On s'aimait beaucoup, mais nos caractères s'affrontaient. On se chicanait sans arrêt, mais heureusement, on n'est pas rancuniers.

Quand j'avais accepté d'aller vivre avec Raymond, je lui avais fait part de mes craintes des disputes, et il m'avait dit: «Pars du principe que chaque jour nous allons essayer de trouver quelque chose qui puisse faire plaisir à l'autre.»

Les enseignements de Raymond, je les ai mis en pratique avec Yves. Malgré tout, on a bien failli se quitter à plusieurs reprises. La seule fois où j'ai vraiment cru qu'on ne passerait pas au travers, c'est après avoir acheté notre maison à Longueuil, dans la Collectivité nouvelle, où l'on a en fin de compte vécu près de 10 ans. Un jour, lors d'une chicane, je lui ai même lancé un pot de fleurs à la tête. «ÇA VA FAIRE!» qu'il m'a lancé de sa voix forte. Aujourd'hui, on en rit, mais il m'en parle encore.

Puis en 1989, je suis partie deux semaines en Floride chez maman, toute seule, car Yves déteste l'avion. À mon retour, il ne pouvait pas venir me chercher à l'aéroport. Il m'avait avertie. Je suis donc rentrée par moi-même à la maison. Sur la table, il avait disposé des roses près d'un très beau poème qu'il avait écrit. C'était une demande en mariage. Je n'en revenais pas. J'étais terriblement émue.

Je n'avais jamais vraiment songé au mariage. J'ai donc choisi de réfléchir. Je savais que si je me mariais, je prenais un engagement pour la vie. J'y ai pensé longtemps. En fait, j'ai pris un mois avant de donner ma réponse. J'avais un homme qui m'aimait, qui avait entière confiance en moi, qui me laissait libre de faire tout ce que je voulais, qui ne discutait pas mes décisions, qui n'avait jamais mis en doute mon intégrité, ma fidélité. J'ai dit oui. Nous nous sommes mariés le 10 août 1990. Nous étions ensemble depuis trois ans.

Chapitre 18

Mes deux petits presque bébés

O<small>N</small> dit souvent que les gens heureux n'ont pas d'histoire. Ce n'est pas tout à fait vrai. Nous avons quand même eu deux très grosses peines. On aurait tellement aimé avoir un enfant. Si nos vœux ont failli se réaliser à deux reprises, je n'ai jamais pu mettre un bébé au monde. J'ai fait, à deux reprises, ce qu'on appelle des fausses couches. Comment ne pas me sentir coupable pour l'avortement subi quelques années plus tôt? Étais-je punie?

D'ailleurs, cette culpabilité m'habitait avant de tomber enceinte. Ça faisait une année qu'Yves et moi essayions, et ça ne marchait toujours pas. Puis, en juillet, le miracle est arrivé. J'étais enceinte de 12 semaines. Un mois plus tard, le 23 août, jour de l'anniversaire de ma mère, je l'ai perdu. J'ai trouvé cela douloureux, mais surtout très triste.

Quand Yves et moi sommes ressortis de l'hôpital, après qu'on a nettoyé mon utérus, il faisait très chaud. On s'est arrêtés au milieu du stationnement, Yves m'a pris dans ses bras, il m'a serrée très fort et on s'est mis à pleurer. Il pleurait non seulement parce que j'avais perdu le bébé, mais aussi parce qu'il m'avait vue souffrir.

Encore une fois mes larmes coulent sur mes joues. Une chance que mes lunettes de soleil me permettent de camoufler ma tristesse. Ma deuxième fausse couche est si récente… En fait, je devrais normalement être étendue sur ce pont pour me reposer en caressant mon petit ventre où grandirait mon deuxième petit amour. Mais lui aussi a décidé de ne pas naître. Au lieu d'un petit être tout en santé, c'est donc un cancer qui se développe en moi.

C'est trop bête. Je croyais que mon corps se préparait à donner la vie et, en fait, le germe de la mort grandissait dans mon sein.

J'ai froid. J'émerge lentement de mon passé. Curieusement, ce long plongeon dans ce qui fut ma vie jusqu'à ce jour semble m'insuffler une énergie nouvelle. Somme toute, si je regarde en arrière, je me trouve chanceuse. J'ai toujours été gagnante. Pourquoi en serait-il autrement dans l'avenir? Pourquoi ne prendrais-je pas tous les moyens pour vivre au lieu de me désespérer en songeant à ma mort prochaine? Pourquoi ne livrerais-je pas ce combat comme je l'ai fait pour Miss Canada et comme j'aurais dû le faire pour Miss Univers?

Cette fois-ci papa, je n'arriverai pas deuxième. Je vais m'informer, me battre, utiliser tous les moyens mis à ma disposition, mettre tous les efforts nécessaires et le premier sera de croire que je peux y arriver.

Fébrile, fragile, je me lève et j'enlève mes lunettes de soleil. Il est temps que j'affronte la réalité. Je ne vais pas abandonner aussi rapidement. La vie est trop belle. JE VEUX VIVRE!

Chapitre 19

Enfin, je vais savoir !

COMME il était prévu au retour, Yves et moi avons passé trois jours chez mes parents, en Floride. Là, je me suis totalement abandonnée à maman qui en a profité pour me dorloter. Elle a pris soin de moi et m'a bécotée comme le désirait la petite fille que j'étais redevenue auprès d'elle. Il était important que je me retrouve ainsi dans un cocon formé par les gens que j'aime. On dirait que rien ne peut nous atteindre quand un cercle d'amour se forme autour de nous.

On ne saura jamais assez répéter aux proches comme il est de première importance qu'ils restent auprès des leurs pendant la maladie. Peu importe qu'ils ne sachent que dire ou faire, leur présence est ce qui est le plus important. La tendresse, l'amour, la présence d'un être cher donne tellement d'énergie et renforce la volonté de se battre.

Même mon père faisait tout son possible pour prendre soin de moi. C'était la première fois de ma vie que je le sentais aussi concerné. Peut-être la perte de son frère quelques années auparavant l'avait-elle secoué plus que je ne le croyais. Mon père n'a jamais su dévoiler ses sentiments, mais je pouvais percevoir son inquiétude.

Malgré toutes ces petites attentions et la rassurante présence de mes parents, j'avais hâte de revenir à la maison. Je voulais savoir où en était mon cancer. Surtout que j'ai toujours tendance à m'imaginer le pire, le plus noir. Alors, plus le temps passe… Ça me fait rire lorsque quelqu'un me dit d'être prudente. Si seulement cette personne savait que le pire qu'elle peut imaginer n'est vraiment rien à côté de ce que moi j'ai déjà imaginé. Je suis faite ainsi. Le bon côté de ce trait de caractère est qu'il m'oblige toujours à la prudence.

Lorsque nous sommes rentrés chez nous, la première chose que j'ai faite a été de vérifier mon répondeur. Tel que promis, un message m'informait que je devais entrer à l'Hôpital Saint-Luc le dimanche soir afin d'être prête pour les examens préopératoires le lundi matin.

L'opération était prévue pour le mardi matin. J'ai donc ouvert ma valise et sorti mes petits ensembles soleil pour les remplacer par mes pantoufles, mes pyjamas, ma robe de chambre, mes produits de toilette, quelques livres et ma petite trousse à maquillage au cas où j'aurais de la visite.

Puis Yves m'a accompagnée à l'hôpital et une infirmière s'est occupée de faciliter mon entrée dans la section de l'étage réservée aux cancers du sein. Assise avec moi sur le lit, elle m'a aidée à bien remplir le questionnaire et m'a demandé si je souhaitais rencontrer un psychologue en m'expliquant que ce service était offert par l'hôpital.

Je lui ai raconté toute mon histoire. Je la trouvais patiente et gentille. J'ai rapidement constaté qu'elle et toutes les autres infirmières affectées à ce service sont habilitées à composer avec nos peurs et nos inquiétudes. Elles ont été formées pour savoir répondre à toutes les questions pouvant nous effleurer l'esprit.

Sans prendre mon cas à la légère, elle a tenté de dédramatiser la situation en plaisantant avec moi et Francine, ma voisine de lit. Cette dernière, une femme d'une dizaine d'années mon aînée, venait de subir une tumorectomie et elle m'a beaucoup rassurée.

Je me sentais plus heureuse à l'hôpital que je ne l'avais été pendant ma croisière. J'avais enfin l'impression d'être là où je devais être. Mon fardeau me semblait plus léger dans cet environnement aseptisé où l'on allait tenter de me soigner. Vivre dans l'incertitude est la pire des choses. Les scénarios imaginés peuvent se révéler totalement destructeurs pour le moral. Je préférais savoir ce qui m'attendait.

Même si j'étais encore totalement dans l'inconnu, ne sachant toujours pas si on allait devoir enlever mon sein, je me sentais en confiance avec le Dr Poisson. Je savais qu'il ferait tout en son pouvoir pour m'éviter la mastectomie. Un quart de siècle plus tôt, c'est certain que j'aurais subi l'ablation du sein. Il en aurait sans doute été de même aux États-Unis où l'on pratique, encore aujourd'hui, beaucoup de mastectomies. Je soupçonne que, comme cette opération est plus coûteuse, elle est plus rentable pour les chirurgiens. Mais, ce n'était pas l'idée du Dr Poisson. J'avais lu qu'il était parmi les premiers à soigner tout en préservant le sein le plus possible ; il avait remarqué que le taux de survie était aussi plus élevé chez celles qui conservaient leur sein que chez les autres.

Rapidement, on m'a fait passer un électrocardiogramme et une radiographie des poumons. Tout devait être prêt pour l'anesthésie du lendemain matin.

Je ne savais pas trop ce qui m'attendait, sauf que le médecin m'avait dit vouloir faire des prélèvements. Il voulait s'assurer qu'il n'y avait plus de cancer près de l'endroit où la tumeur avait été excisée. Il allait donc gratter et nettoyer les périmètres. Bref, tout ce qui pourrait causer une récidive.

Le lundi soir, la veille de l'opération, Yves est resté avec moi jusqu'à 21 h. Je ne voulais pas qu'il passe la nuit à mes côtés. J'avais besoin de le savoir en forme. Je me doutais que je ne dormirais pas beaucoup, et ça ne servait à rien qu'on soit morts de fatigue tous les deux. J'ai eu raison puisque je me suis promenée dans le corridor une bonne partie de la nuit.

Je n'étais plus dans le même état d'esprit que pendant la journée. J'avais peur de l'anesthésie. Peur de ne pas me réveiller. Je n'arrivais pas à contrôler les tremblements de mon corps. L'infirmière de nuit, constatant mon anxiété, est venue discuter avec moi. J'avais les yeux pleins d'eau, mais je n'arrivais pas à pleurer. Elle comprenait mes inquiétudes et sa présence rassurante m'a fait le plus grand bien.

J'ai finalement pu dormir un peu, mais à mon réveil, l'angoisse est réapparue en force. J'avais peur, j'avais froid. Je pleurais un peu. Francine, sachant très bien ce que je vivais intérieurement, s'est assise près de moi, m'a tapoté le bord de la cuisse et m'a caressé doucement le bras: «Tu vas voir ça va bien aller, ça ne fera pas mal. Tu vas revenir un peu perdue, mais c'est tout.»

Yves n'était pas là. Il était venu me voir avant d'aller au travail et il aurait souhaité rester près de moi mais, encore une fois, je ne voulais pas. À quoi cela aurait-il servi qu'il perde sa journée de travail? De toute façon, qu'est-ce qu'il aurait fait, assis dans le corridor à m'attendre, sinon s'angoisser? Il valait bien mieux qu'il ait l'esprit occupé.

L'infirmière est arrivée pour m'administrer une petite piqûre qui m'a rendue plutôt gaga. Soudainement j'ai oublié toutes mes angoisses. Dans la pièce attenante à la salle d'opération, je me suis amusée à observer les petits bonnets bleus sagement alignés. Je n'étais pas la seule à passer sous le bistouri, ce matin-là.

Le sédatif ayant fait son effet, je ne sentais plus aucune nervosité quand le Dr Poisson est arrivé. J'en ai profité pour le questionner un peu et tenter de découvrir ce qu'il croyait m'enlever. «Je ne le sais pas, mais selon les résultats primaires, ça semble bien. Ne vous inquiétez pas.»

Il m'a expliqué qu'il allait inciser l'aisselle pour aller chercher la chaîne ganglionnaire. En voyant l'état de mes ganglions lymphatiques, il saurait si les cellules cancéreuses avaient commencé à se propager dans le corps.

Aujourd'hui, on utilise la biopsie du ganglion sentinelle. Cet examen est beaucoup moins complexe et moins douloureux pour la patiente. Mais, à l'époque, ça n'existait pas encore.

Je me rappelle avoir autorisé le médecin à faire tout ce qui était nécessaire, même l'ablation de mon sein. J'avais l'impression qu'en faisant cela, il éloignerait la maladie de moi. Quand la mort nous effleure, on se rend compte à quel point la vie a plus d'importance que la perfection du corps. Malgré tout, je me demandais comment réagirait mon mari dans l'intimité. Allait-il avoir encore du désir?

En entrant en salle d'opération, j'étais suffisamment consciente pour me toucher les seins. Je les ai toujours bien aimés. Ils ne sont pas gros, mais ils me conviennent. En passant la main sur le doux renflement, je me demandais si mon corps serait mutilé au retour de l'opération, mais à ça aussi j'étais prête. L'essentiel n'était-il pas de vivre? Et puis, avec la chirurgie plastique, tout n'est-il pas possible aujourd'hui?

Quand l'anesthésiste a approché son aiguille pour injecter le cocktail qui allait m'envoyer dans le monde des rêves, j'entendais les battements de mon cœur s'accélérer. La peur de ne pas me réveiller me tenaillait les entrailles. Puis, je me souviens avoir crié: «Oh! Ça goûte les oignons!»

Je me suis fait endormir plusieurs fois dans ma vie, pour me faire enlever une tache de vin sur le bras, pour me faire recoller les oreilles, pour me faire extraire les amygdales et pour subir mes deux curetages. Chaque fois, j'ai toujours su que j'allais m'endormir quand, dans ma bouche, arrivait un fort goût d'ail et d'oignon.

Puis j'ai entendu qu'on criait mon nom. Mais pourquoi est-ce qu'on crie si fort? Laissez-moi donc dormir en paix. Qu'est-ce qu'ils ont tous à vouloir absolument me réveiller? Je suis bien et je n'ai pas du tout envie de leur parler. Lentement, je refais surface. Si on crie mon nom, c'est que je suis dans la salle de réveil. L'opération est terminée.

Chapitre 20

Quelle chance, il est là !

E N ouvrant les yeux, mon premier réflexe est de mettre la main sur mon sein pour voir s'il est encore là. Emberlificotée que je suis dans ma jaquette et mes draps, le geste se révèle compliqué. Une infirmière, voyant mes efforts, vient à mon aide.

«Vous ne le sentirez pas à cause des bandages, mais ne vous inquiétez pas, votre sein est toujours là, on ne vous l'a pas enlevé.»

Rassurée, je replonge confiante dans les bras de Morphée.

Vers 15 h, on me ramène à ma chambre. Je suis totalement K.-O. quand ma sœur Claudine arrive vers 16 h. Je n'ai pas le cœur à parler. Je me contente de lui montrer mon sein à travers mon bandage et mon drain dans l'aisselle. Claudine comprend. Après s'être assurée auprès de Francine que je vais bien, elle me bécote un peu et s'en va.

À 17 h, c'est au tour d'Yves de se présenter, mais je le chasse rapidement. Je n'ai qu'une idée en tête: dormir. Les seules fois où je me réveille, c'est pour demander une injection contre la douleur. J'ai horreur de souffrir. Je suis ce qu'on appelle une petite nature. Quand on me demande de situer mon mal sur une échelle de 1 à 10, c'est facile. Je réponds : «DIX!»

Vers minuit, c'est la faim qui me tire du sommeil. Je suis maintenant à jeun depuis plus de 24 h. L'heure du repas est passée depuis longtemps, mais une infirmière a pitié de moi et va me chercher un muffin aux carottes à la cafétéria. C'est le meilleur muffin que j'aie mangé de toute ma vie. J'ai tellement faim que je le mettrais tout entier dans ma bouche. Je m'endors avec la pensée que le petit-déjeuner du lendemain matin va être délicieux. Mais voilà qu'on m'annonce que je dois passer une échographie abdominale et… être à jeun !

Cet examen permet de surveiller le pancréas, le foie et la rate afin de découvrir si des métastases s'y sont logées. Dans le cas d'une tumeur locale au sein, si les ganglions ne sont pas touchés, le taux de survie est de 85 à 90 %. Par contre, s'ils sont touchés, les chances de survie diminuent à 50 %, et si les autres organes sont affectés, la survie s'en trouve d'autant plus réduite.

Évidemment, selon mon habitude, j'imagine le pire des scénarios. Le Dr Aubin, un grand bonhomme de six pieds, gentil et sympathique, me fait passer l'examen et me réconforte tout de suite en me disant que tout est beau. Quelle délicatesse de me rassurer ainsi ! Plus tard, je lui ai demandé s'il me l'aurait dit si j'avais eu du cancer ailleurs, et il m'a répondu oui.

Le mercredi après-midi, c'est la cartographie osseuse. Cet examen pratiqué en médecine nucléaire sert à dépister les métastases osseuses. Deux heures avant l'investigation, on injecte un liquide radioactif qui a la propriété de se fixer aux os durant cette période donnée. Ensuite, la lecture se fait à l'aide d'appareils perfectionnés. Ce n'est nullement douloureux, mais un peu long.

Mes sœurs Anne et Élizabeth m'accompagnent lors de cet examen. On rigole comme des gamines dans la salle d'attente, car je leur ai expliqué le pouvoir de la robe de chambre. J'avais remarqué qu'on passe toujours avant tout le monde quand on se présente en robe de chambre, pour n'importe quel test. C'est exactement ce qui arrive. Même si la salle d'attente est bondée, à peine ai-je eu le temps de donner ma formule à la préposée qu'on m'appelle. Encore une fois, par bonheur, tout semble beau.

Le vendredi, j'apprends enfin que mes ganglions ne sont pas touchés. Quel soulagement! Je suis d'autant plus consciente de l'importance de ce diagnostic que j'ai lu beaucoup sur le sujet.

En fait, depuis le moment exact où j'ai appris que j'avais le cancer, je me suis mise à lire tout ce qui me tombait sous la main sur le sujet. Il y avait, à ce moment-là, toute une avancée dans la médecine du cancer. On terminait les études sur le Tamoxifen et sa combinaison avec la tumorectomie. De longs dossiers bien documentés en faisaient état dans les journaux.

Il y avait aussi toutes ces femmes qui se révoltaient contre la recherche qui n'avançait pas suffisamment vite. Partout, je trouvais à me documenter. Je connaissais donc tous les dangers et les conséquences. En fait, je ne nourrissais mon intellect que de livres sur le cancer. Je voulais tout savoir, tout connaître, arriver à le dépister chez moi, mais aussi chez les autres. Quand j'arrivais chez les médecins, j'avais toujours une batterie de questions claires et précises à leur poser. Et j'obtenais toujours des réponses.

Quand on m'a annoncé que mes ganglions n'étaient pas atteints, on m'a également appris que je n'aurais pas de chimiothérapie. Ça aussi c'était une bonne nouvelle. Qui a envie d'une bonne dose de chimio?

De nos jours, on traite de façon différente. La chimiothérapie n'est plus seulement prescrite après l'opération si les ganglions sont atteints. Des études cliniques ont démontré que l'administration d'un traitement adjuvant, en présence d'une maladie précoce sans envahissement ganglionnaire, augmente le taux de survie. La grande majorité des femmes qui devront affronter un cancer du sein auront donc aussi à négocier avec la chimiothérapie.

Moi, j'étais bien contente de m'en passer. Les effets secondaires, dont la perte de cheveux est sans doute le plus déprimant, sont si difficiles. Et que dire de l'impact sur le moral.

Mais surtout, j'étais rassurée de ne pas avoir à négocier avec une nouvelle réalité. En effet, quand une personne apprend qu'elle a le cancer, elle doit réadapter sa vie en fonction de la maladie. Chaque fois qu'un nouveau médicament, traitement ou soin est nécessaire, il vient immanquablement bousculer son horaire et celui de ses proches. Moi, je pouvais donc mettre mes énergies ailleurs.

Je savais cependant que je ne pourrais pas me soustraire à la radiothérapie, un traitement qui vise à détruire localement les cellules cancéreuses.

Chapitre 21

Un traitement épuisant

LES traitements pour le cancer du sein sont nombreux et le résultat final dépend de leur association. Le plus souvent, on les combine pour se débarrasser à tout jamais des cellules cancéreuses. La combinaison est établie selon l'âge de la patiente, la grosseur de la tumeur et l'évolution de la maladie. La radiothérapie se révèle donc une arme efficace dans les traitements visant à prévenir les rechutes possibles.

Cette technique, utilisée après la chirurgie une fois que la plaie est totalement guérie, fait appel aux rayons X et aux rayons gamma pour éliminer les cellules cancéreuses susceptibles d'avoir échappé à l'opération. Elle cible directement le sein et les tissus avoisinants. La radiothérapie n'élimine cependant pas nécessairement la chimiothérapie, et vice versa.

J'ai tout d'abord rencontré le radio-oncologue. Il a mesuré la grosseur de mon sein, sa densité et mon poids dans le but de déterminer la quantité de rayons nécessaires à ma guérison. Après de savants calculs, il a déclaré que mon exposition serait de 4 min 30 s, 5 jours par semaine, et ce, pendant 5 semaines. Puis, l'infirmière m'a tracé une grande marque rouge, en me demandant de ne jamais l'enlever. Cette ligne formait un large carré autour de mon sein et d'une partie de mon thorax et de mon aisselle. Je pouvais prendre mon bain ou ma douche, mais je ne devais pas me frotter ou utiliser de savon qui aurait pu effacer ce dessin servant à guider l'appareil.

La première semaine a passé rapidement et j'étais relativement en forme pour mes traitements. J'organisais mon horaire de façon à travailler le matin et à me relaxer davantage l'après-midi. Je me rendais à l'Hôpital Maisonneuve-Rosemont pour mes traitements à 12 h 35. On m'allongeait sur une table placée dans une salle en béton armé, du style coffre-fort de banque. Certaines femmes n'aiment pas être seules là-dedans. Moi, je n'étais pas angoissée. J'essayais de faire de la visualisation. Je trouvais juste que la machine faisait du bruit. Ce qui était le plus long, c'était de placer l'appareil de façon à bien suivre le motif sur ma poitrine. Je dois dire que j'ai beaucoup apprécié le respect dont faisaient montre les infirmières.

La deuxième semaine, la fatigue a commencé à se faire sentir. En revenant de l'hôpital, je dînais avant de dormir comme un bébé jusqu'à 15 h 30 ou 16 h. Plus le temps passait et plus j'étais fatiguée. C'est un des effets secondaires de la radiothérapie, car en détruisant les cellules cancéreuses, elle détruit aussi des cellules saines. Toute l'énergie du corps se monopolise alors pour reconstruire les tissus.

Ce traitement occasionne aussi des brûlures de la peau, comme le ferait un gros coup de soleil. Mon mamelon est rapidement devenu craquelé. C'était très sensible. Il m'était totalement impossible de porter un soutien-gorge. Et je ne pouvais pas utiliser une pommade pour atténuer l'irritation. Il a fallu que je me procure une sorte de camisole de coton comme en portent les athlètes, pour soutenir le sein tout en douceur. Heureusement, au bout de quatre semaines, tout était terminé. Un bénéfice que je dois à mes petits seins, parce qu'en général le traitement dure cinq semaines. Avec soulagement, j'ai quitté l'hôpital avec ma prescription d'une crème à la cortisone pour soulager l'irritation.

Aller en radiothérapie tous les jours demande un gros effort. Chaque fois, la maladie nous défie. Dans la salle d'attente, ce sont toujours les mêmes personnes qu'on rencontre et on finit par se lier d'amitié. Ces réunions de femmes, d'hommes et d'enfants portant tous un immense tracé rouge sur le front, la gorge ou ailleurs, a quelque chose d'assez surréaliste.

Il y avait là un homme qui se faisait traiter pour un cancer de la gorge. Il connaissait bien mon père, ce qui nous avait rapprochés. Je l'ai vu maigrir à vue d'œil. Je trouvais triste qu'il ne soit plus capable de manger et ça réveillait mes angoisses. Il y avait également une jeune femme qui avait le cancer du cerveau. Elle était toujours en compagnie de son conjoint. D'ailleurs, je suis persuadée qu'elle n'aurait pas pu se déplacer toute seule. Elle aussi, je l'ai vue se détériorer. Je crois qu'elle est morte aujourd'hui. Son mari m'avait fait comprendre qu'elle n'en avait plus pour très longtemps. Il était tellement doux, tendre et prévenant avec elle. J'espère qu'il a refait sa vie pour qu'une autre femme puisse jouir de cette grande tendresse qui l'habitait.

Sans le savoir, ma rencontre avec cette femme a été un tournant dans ma vie. J'avais trouvé quelqu'un de tellement plus mal en point que moi... Je la regardais et je savais qu'elle allait mourir, alors j'ai cessé de me voir morte et j'ai commencé à prier.

J'ai toujours eu la foi. J'ai toujours cru en Dieu et senti le besoin de le remercier pour le beau don de la vie, pour une belle journée ensoleillée, pour un paysage extraordinaire ou tout simplement parce que j'étais heureuse. Toutes les raisons étaient bonnes. J'étais consciente que Dieu existait, mais je n'étais pas vraiment ce qu'on peut qualifier de pratiquante.

Or, à travers la maladie, on développe beaucoup de valeurs spirituelles. Il y a même des études révélant que les personnes ayant une vie spirituelle s'en sortent mieux que les autres. Rapidement, j'ai repris mes prières.

Je demandais à Dieu de m'aider à rester joyeuse. Tout le temps que j'ai fait mes traitements, que j'ai pris les armes pour combattre ma maladie, j'ai essayé de rester souriante et enjouée. Mais il y a une limite au positivisme. Il m'arrivait quelquefois d'être très triste, même si j'essayais de ne pas me laisser aller. Alors, je Lui demandais de m'aider, de me donner la force de garder cette joie qui, j'en étais certaine, m'aiderait à mieux m'en sortir.

Je sais que Dieu n'est pas responsable de la maladie et de la mort et que son dessein originel n'était pas que l'homme soit malheureux sur la terre. Au contraire. Je sais aussi qu'il se soucie des humains et que les choses vont changer bientôt quand il interviendra dans les affaires des hommes pour réaliser son dessein.

Environ un an après mon diagnostic, Yves m'a réveillée doucement, un matin, en s'asseyant au bord de mon lit. Il avait l'air préoccupé. Il m'a dit que je n'aimerais pas ce qu'il y avait d'écrit dans le journal. C'était un article racontant que le Dr Poisson avait falsifié quelques résultats d'une étude sur le Tamoxifen, ce médicament qui bloque la fabrication d'œstrogènes et supprime la multiplication des cellules cancéreuses. On disait que, pour cela, il pourrait même être radié de l'Ordre des médecins.

En fait, j'ai appris plus tard dans le livre *Cancer du sein, SVP ne pas mutiler*, qu'il a écrit, ce qui était réellement arrivé. Pour avoir le droit d'inscrire une femme sur un protocole de recherche, il existe des directives et des paramètres préétablis. Le Dr Poisson avait jugé que, pour leur bénéfice, certaines patientes (qui avaient été évincées du groupe étudié à cause d'un facteur temps, soit le temps écoulé entre le diagnostic et l'opération) devaient quand même faire partie de l'étude. Ç'a fait toute une histoire. Il n'a finalement pas été radié, mais il a perdu certains privilèges et, surtout, ç'a grandement nui à sa réputation de chercheur. Pourtant, après quelques années, il a bien fallu admettre que les résultats des autres chercheurs, ailleurs dans le monde, étaient les mêmes que les siens. Mais ce matin-là, cette nouvelle m'a énormément ébranlée. Le doute s'est insinué en moi. Et si je n'avais pas été traitée convenablement?

Je savais que je ne faisais pas partie de l'étude, car je n'avais rempli aucun papier. Mais, pour me rassurer, je suis allée rendre visite à un autre médecin, le Dr Cantin, à l'Hôtel-Dieu. Il connaissait très bien le Dr Poisson. Il a pris le temps d'étudier mon dossier et, quand je l'ai revu, il m'a expliqué que s'il avait été mon médecin traitant, il m'aurait donné de la chimiothérapie. Il était étonné qu'on m'ait évité cela car, même si le taux de survie dans mon groupe était de 85 %, il y avait tout de même 15 % de rechute sans que l'on sache pourquoi.

Je ne me souviens plus de tout de ce qu'il m'a dit, mais il m'a donné trois ou quatre bonnes raisons pour lesquelles j'étais une bonne candidate à la rechute. J'avais tellement peur en sortant de son bureau que je suis allée vomir dans les toilettes. Je l'ai pratiquement supplié de me donner de la chimiothérapie. Malheureusement, il n'existait aucun document dans la littérature médicale prouvant qu'un traitement de chimio, administré un an plus tard, pouvait avoir des effets bénéfiques. Finalement, il m'a rassurée : « Maintenant, on sait que la majorité des rechutes arrivent dans la première année. L'année est passée et vous allez bien. Je n'ai aucune raison de vous faire subir de la chimiothérapie. Je vous suggère d'attendre et d'entrevoir cette possibilité seulement s'il y avait rechute. »

Très inquiète, je lui ai posé des questions très claires sur le Dr Poisson. Mais, encore une fois, il m'a rassurée en me disant que j'étais entre bonnes mains. Oui, il croyait que le Dr Poisson avait fait une erreur majeure, mais il m'assurait que ça ne changeait rien à ses compétences.

Comme j'ai toujours aimé le Dr Poisson, j'ai décidé de ne plus aller ailleurs. Je lui ai avoué que j'étais allée consulter un autre médecin, mais que j'avais décidé de lui faire confiance. Je crois qu'il a aimé ma franchise. Il a toujours continué à prendre soin de moi et, surtout, il a toujours été à l'écoute de mes moindres besoins.

Aujourd'hui encore, il est très prévenant. Il trouve important de me voir tous les six mois. Au début, je trouvais cela trop espacé, mais maintenant, je trouve que ça passe trop vite. Il faut croire qu'on s'habitue à tout, même au cancer. Même à vivre avec cette épée de Damoclès au-dessus de notre tête.

À New York, en sortant des répétitions. Les finalistes se dirigent vers l'hôtel, mais «Oncle Sam» nous attend sur le trottoir.

La compétition «Robe du soir» au concours Miss Univers. Je brille, au milieu de la scène, dans ma magnifique robe noire dessinée par Wayne Clark.

*Défilé de mode Mary McFadden,
à New York.*

*Wow! On veut mon
autographe dans
le programme souvenir
de Miss Univers 1981!*

À mon retour de Miss Univers, je suis à nouveau reçue par le maire de Laval,
Lucien Paiement. Il me remet ce magnifique cadeau au nom des citoyens
de la ville pour ma prestation à New York.

Je fais la couverture de la revue
BeautéMag dans ma robe du soir
signée Wayne Clark.

Après le concours Miss Univers,
avec ma copine Kim, Miss USA.

Photo de famille à la sortie du Palais de justice de Longueuil, le 10 août 1990.
Yves est aux côtés de son père et de sa mère. Même chose pour moi.
Au bout, à la droite de la photo : ma grand-mère Dufour.
Devant : ma nièce Ariane, en bouquetière.

Voici ma bande de chums *avec qui*
je sortais le jeudi soir. Nous étions
ensemble lorsque j'ai rencontré Yves.
On nous voit ici le jour de mon
mariage, en fin de soirée...
On a l'air plutôt brûlé !

Le jour de mon mariage, à l'extérieur
du restaurant Hélène de Champlain.

Yves et moi lors de notre dernier voyage en Europe en mai 2002. Ici, nous posons à l'Aiguille du midi, au sommet du mont Blanc à Chamonix.

Mon homme et moi adorons le ski.

Pour célébrer mon 5e anniversaire sans cancer, nous revenons au point de départ : une croisière dans les Caraïbes. Photo prise avant le dîner dans la salle à manger du bateau. N'est-ce pas qu'on a l'air plus heureux ?

Pendant les huit années qui ont
suivi mon couronnement,
j'ai eu le plaisir de coaminer
le concours de Miss Canada
avec Jim Perry. Ici en compagnie
de Juliette Powell.

En studio,
à titre d'animatrice
à la station Cité RockDétente.

En direct d'Albertville sur les ondes de Europe 2, pour la couverture des Jeux olympiques d'hiver en 1992.

Lors de l'animation du Gala de la Griffe d'or à TVA, en compagnie de Normand D'Amour.

Au fil des ans, mon travail d'animatrice m'a permis de côtoyer plus plusieurs personnalités du monde de la mode et des arts. Ici: Oscar de la Renta…

… Azzaro…

… Nadia Comaneci, lors d'une promotion pour Jockey for Her…

… Paco Rabanne…

… Betty Mahmoody, l'auteure de Jamais sans ma fille!…

... Lors des concerts Loto-Québec dans les parcs, en compagnie de Charles Dutoit...

... Et enfin Omar Sharif.

*Remise d'un certificat honorifique de la Société canadienne du cancer
pour souligner mon engagement
dans la cause du combat contre le cancer du sein.*

En 1997, porte-parole pour la Journée de la jonquille.

Photo de la campagne «Croquez santé dans la pomme d'ici».

Lors de la campagne «Croquez santé dans la pomme d'ici», les producteurs et emballeurs de Pommes Qualité Québec remettent un chèque à la Société canadienne du cancer.

En compagnie de représentants de la Fondation québécoise du cancer, lors du déjeuner annuel. Sur la photo, on reconnaît M. Cayer, à l'époque président d'Hydro-Québec et invité d'honneur, ainsi que Pierre Maisonneuve, animateur de l'événement.

En septembre 1998, je suis conférencière invitée au déjeuner annuel de la Fondation québécoise du cancer.

La campagne de sensibilisation au cancer du sein en octobre 1999.
Les panneaux-réclames nous rappellent de faire notre auto-examen des seins.

Je suis porte-parole de la Fondation du cancer du sein de Montréal. Cette photo
a été prise en mai 2002, lors du plus récent événement « Dans un jardin »,
qui a permis d'amasser 205 000 $ pour la recherche. De gauche à droite,
Georges Balcan et moi, coaminateurs, les deux coprésidentes de la soirée
et Micheline Coffin, présidente de la Fondation.

J'ai eu envie de changer de look. Quelle idée… En compagnie de Léopold qui supporte encore mes caprices après toutes ces années!

En août 2001, ma première exposition collective avec l'Académie Art et Beaux-arts de Varennes. À ma gauche, Pierrette Locas, artiste et professeure.

Lors de la finale du concours Miss Vieux-Montréal.
Au centre de la photo, je suis en compagnie de Raymond.
La gagnante est nulle autre que Linda Malo.

Chapitre 22

De nouvelles alarmes

ENVIRON un an après la chirurgie, je continuais à faire mon examen des seins régulièrement quand, un matin, j'ai à nouveau senti une masse dans mon sein droit. Comment décrire le sentiment qui m'a envahie! C'était l'horreur la plus pure.

J'ai eu beau essayer de ne pas paniquer, de me dire que ça pouvait être lié à mon cycle mensuel, rien à faire. La sarabande éclatait dans ma tête avec la plus horrible chorégraphie macabre qu'on puisse imaginer. Ça n'allait pas recommencer? Je n'allais pas revivre toutes ces peurs, ces craintes, ces angoisses, ces espoirs?

J'ai tout de suite pris rendez-vous avec le Dr Poisson qui m'a fait une ponction dans la masse pour qu'on l'analyse. Il l'a regardée et m'a dit qu'il serait bien étonné que ce soit cancéreux, mais qu'il n'y avait aucun risque à prendre, surtout en raison de mon hérédité. Alors il m'a envoyée passer une échographie du sein.

À mon arrivée, le Dr Aubin m'accueille chaleureusement. Il se souvient de moi. J'aime bien ce médecin. Depuis le début, il me donne toujours l'heure juste et je me sens en confiance avec lui. Je m'allonge donc sur la table.

«Je n'aime pas cette masse-là», dit-il. Il décide de faire une biopsie à l'aide d'une image échographique qui lui permettra de bien diriger son instrument pour prélever du tissu dans le nodule. Il pratique une anesthésie, procède à l'examen et me suggère de faire enlever la masse.

Me voilà de nouveau devant le Dr Poisson. Je suis ferme. On enlève. Je ne veux aucune masse non identifiée dans mon sein. Pas question d'attendre et de découvrir, dans un an, que j'ai un cancer généralisé parce qu'on a cru que ça ne présentait aucune cellule cancéreuse. Devant mon entêtement, il remplit les papiers.

Cette fois-ci, selon ma préférence, il opte pour une anesthésie locale en m'administrant un étrange cocktail qui a la particularité de rendre insouciant. C'est très bien, parce que ça permet d'avoir encore toute ma tête au moment de la sortie. En fin de compte, après des analyses plus poussées, il s'est révélé qu'il s'agissait d'une tumeur non cancéreuse. Mais je ne regrette pas de l'avoir fait enlever. Je crois m'être évitée de nombreuses poussées de stress en m'en débarrassant.

Un an et demi plus tard, une nouvelle tumeur a fait son apparition mais, cette fois-ci, dans le sein gauche. Là, je capotais. Non mais, quand est-ce que ça va finir? J'appelle le Dr Poisson: «J'ai encore une bosse!»

Cette fois-ci, l'analyse a rapidement démontré que c'était une dermatite de radiothérapie (une réaction à la radiothérapie). Ce n'était pas une tumeur, il n'y avait aucun danger. Mais je ne voulais rien savoir de ça non plus. J'avais toujours en tête les paroles du Dr Gémayel: «*Ne gardez rien dans votre sein!*»

Me revoilà donc en salle d'opération pour une dernière fois, du moins en ce qui concerne ma petite poitrine. Au cours des cinq dernières années, aucun nouvel intrus n'est venu se loger dans mes seins. Tant mieux.

Mais l'angoisse et la peur ne sont qu'endormies. Elles se réveillent facilement, à la moindre alerte. Quand le cancer nous a touchée, c'est plus fort que nous, chaque fois qu'on est malade, qu'on tousse, qu'un bouton étrange apparaît ou que notre corps est fatigué, le spectre du cancer revient nous hanter.

Comment oublier cet examen en médecine générale, environ deux ans après ma première opération? On avait trouvé un peu de sang dans mes urines. Je me suis évidemment précipitée chez le Dr Poisson avec mes résultats et une peur panique accrochée à mes talons. Sans perdre de temps, il m'a dirigée vers le Dr Paquin, un urologue. Après quelques examens complémentaires, lui aussi a découvert quelque chose de suspect. Me revoilà donc à refaire une pléiade de tests avec une peur panique que mon cancer ait trouvé une autre porte d'entrée que mes seins.

Finalement, les résultats se sont révélés négatifs. Comment décrire mon soulagement! Quand on m'a annoncé la bonne nouvelle, une chape de plomb a lentement quitté mes épaules pour se poser doucement par terre.

Quand je suis sortie de l'hôpital, je flottais, je volais. Dans l'auto, j'ai mis le volume de la musique à fond, je chantais, j'étais euphorique. Quand je suis passée sur le pont Victoria, j'avais la tête dans les nuages et une intense sensation de vivre. J'avais le cœur léger, mais le pied pas mal lourd… Sans en être vraiment consciente, je roulais assez vite lorsqu'un policier m'a interceptée.

En souriant, je l'ai regardé et je lui ai lancé: «Aujourd'hui, vous pouvez me donner n'importe quelle contravention, je vais la prendre avec le sourire. Je sors de l'hôpital et on vient de m'annoncer que je n'ai pas le cancer du rein. Je suis tellement heureuse que rien ne pourra assombrir cette journée.»

Avec un grand sourire, je lui ai donné mes papiers. Quelques minutes plus tard, il est revenu et m'a dit gentiment: «Je pense que je ne briserai pas votre belle journée. Mais vous savez, Madame, quand on reçoit une belle nouvelle comme ça, raison de plus d'être prudente.»

Je ne peux pas vous garantir que ça fonctionne à tout coup pour éviter une contravention, en tout cas ce policier a contribué à ensoleiller ma journée. Il avait raison. La vie est trop précieuse. Il faut en profiter au maximum et ne prendre aucun risque. J'ai ralenti.

Chapitre 23

Un gros sacrifice

JE suis tout de même chanceuse. Aujourd'hui, tout ce qui reste de cette expérience, c'est un sein gauche sans vie à cause de la radiothéraphie qui a détruit les cellules saines aussi bien que les cancéreuses. Cependant, je ressens toujours des sensations au toucher.

L'été lorsqu'il fait chaud et que mon corps devient moite, je suis toujours surprise de constater à quel point mon sein gauche reste au sec. Un peu comme si je l'avais saupoudré de poudre pour bébés. Il a également diminué de volume, devenant passablement plus petit que le droit. Maintenant, quand j'achète des soutiens-gorge, il me faut toujours les deux premières lettres de l'alphabet: A d'un côté et B de l'autre. Pas toujours évident, mais bien peu important quand je pense que je suis toujours vivante, 10 ans plus tard.

Lors de mon traitement de radiothérapie, on m'avait évidemment expliqué que si je tombais enceinte, je ne pourrais pas allaiter mon bébé, car ma glande mammaire ne serait plus en mesure de produire du lait.

Mais pour cela non plus il n'y a aucune chance. Je ne serai jamais mère, et ça, c'est un de mes grands chagrins.

Avant de commencer mes traitements, j'ai parlé au médecin de mon immense désir d'avoir des enfants de l'homme que j'aime, mais il m'a dit que ce n'était pas le bon moment de penser à cela. J'en avais alors pour cinq ans de traitements avec le Tamoxifen, et ce, sans compter la radiothérapie.

J'ai laissé tomber le sujet un certain temps, mais j'y revenais souvent. Un jour, il m'a fait comprendre que je serais mieux d'oublier mes rêves de maternité. J'avais 37 ans et j'avais beaucoup lu sur les cellules cancéreuses du sein qui prolifèrent au contact de l'œstrogène, une hormone qui augmente considérablement dans le corps dès le début de la grossesse.

Comme j'étais encore jeune, mes hormones étaient d'autant plus actives. À preuve, malgré tous les médicaments que je prenais, j'étais toujours menstruée. Il me fallait donc jouer de prudence. Je me suis alors posé une série de questions :

Quand j'aurais fini mes traitements, à 40 ans, la fibre maternelle allait-elle se réveiller à nouveau ?

Mettre un enfant au monde à cet âge-là, est-ce une si bonne idée ?

Et si c'était au détriment de ma santé, sans savoir même si j'étais guérie, est-ce que c'était bien sage ?

Étais-je capable d'accepter l'idée que mon enfant pourrait devoir grandir sans sa maman ?

Toutes ces questions me tordaient les boyaux. Petite fille, je priais le bon Dieu de ne pas venir chercher ma maman. Je ne pouvais pas imaginer la maisonnée sans elle. Ç'aurait été le bordel, comme ce l'était chez une petite voisine dont la maman avait quitté la demeure familiale.

Nous en avons beaucoup parlé, Yves et moi, et en sommes venus à la conclusion qu'il devait subir la «ligature de la trompe»! C'est comme ça que j'appelais la vasectomie en riant. Ça nous aidait sans doute à dédramatiser toute cette douleur de devoir mettre fin à un rêve qui nous était si cher.

Après réflexion, j'ai décidé que ce serait moi qui passerais sous le bistouri. Comme nous étions encore jeunes et que les possibilités de mourir étaient plus grandes pour moi que pour lui — après tout c'est moi qui avais le cancer —, je me disais que si je mourrais, Yves pourrait vouloir avoir des enfants avec une autre femme. Il avait droit à ce bonheur. Il était bien clair dans ma tête que, moi partie, je voulais qu'il refasse sa vie. Seule la mort peut vraiment séparer un couple et, quand on aime quelqu'un, on veut qu'il soit heureux.

Chapitre 24

Des changements de carrière heureux

PENDANT toutes ces années où j'ai cherché à recouvrer la santé, j'ai toujours continué à travailler. Je crois que ça m'a drôlement aidée. J'aimais mon travail d'animatrice à Cité RockDétente, les samedis et dimanches. Mes patrons connaissaient mon état, mais les auditeurs n'ont jamais rien su.

C'est au cours de mon règne de Miss Canada que j'avais découvert l'animation. Avec Mme Demers, j'avais aussi animé des concours de Miss et de coiffure partout au Québec. Ce contact avec le public me plaisait vraiment beaucoup.

Selon mon habitude, j'ai décidé de me perfectionner. Je me disais que si je voulais faire de la télé ou de la radio, il fallait que je suive un cours. Je me suis donc inscrite à l'école Promédia de Pierre Dufault.

Encore une fois, je me suis donnée à fond, même si le cours était long, qu'il exigeait beaucoup de travail et que j'avais d'autres engagements ailleurs. J'ai tout de même terminé première de ma classe. Mais surtout, j'avais acquis la certitude que je voulais continuer à œuvrer dans ce domaine.

Rapidement, j'ai commencé à TVJQ, dans l'émission *Les jeunes aventuriers*. J'y faisais des entrevues avec des jeunes qui revenaient de voyages d'aventures. J'ai adoré l'expérience. Puis, petit à petit, je me suis mise à passer des auditions pour la radio. C'était l'époque où j'ai connu Yves.

Comme il travaillait à titre de représentant à Radio-Cité, il m'avait suggéré de rencontrer le directeur des programmes. Ce que j'ai fait. Mais après mon audition, ce dernier m'a tellement démolie que pour moi, c'était clair: je ne ferais jamais carrière à la radio. Yves m'a alors conseillé de rencontrer Guy Banville, à CKMF. Cette rencontre a modifié le cours de ma vie professionnelle.

«Si je t'emmène en studio, es-tu capable de m'improviser une animation?

– Oui.

– Présente cette chanson et fais-moi un bulletin météo.»

Il sort, revient cinq minutes plus tard et me demande si je fais du ski.

Devant mon acquiescement, il me dit d'improviser une animation sur le ski en expliquant pourquoi j'aime ce sport et d'enchaîner en présentant une chanson.

Il m'a engagée sur-le-champ pour faire les rapports de conditions de ski. Deux ou trois semaines plus tard, avant même que ne débute ce nouveau contrat, il m'appelait pour m'offrir de remplacer des animateurs en congé. J'ai travaillé presque deux ans à CKMF. J'ai fait les conditions de ski pendant une saison, puis j'ai animé *À deux, c'est mieux*, une émission de soirée de 22 h à minuit. J'étais seule en ondes et je parlais de sujets pouvant intéresser les amoureux, les couples ou ceux qui rêvent de le devenir.

L'été suivant, il m'a offert d'animer les samedis et dimanches matin de 6 h à 10 h, immédiatement avant l'émission présentée par Mario Lirette. À l'automne, lorsque Colette Provencher a quitté son poste pour TVA (elle faisait la météo à CJMS et à CKMF), on m'a demandé de la remplacer.

Mon erreur a été d'accepter. J'ai vraiment essayé, mais je détestais ce double horaire. J'étais en ondes de 6 h à 9 h puis de 16 h à 18 h tous les jours de la semaine. Malheureusement, lorsque j'ai manifesté le désir de revenir exclusivement à CKMF, quelqu'un d'autre occupait mon créneau horaire. De plus, comme les patrons de CJMS avaient eu vent que je n'étais pas heureuse, ils s'étaient empressés de trouver une autre chroniqueuse météo.

Pendant six mois, je me suis donc éloignée de la radio pour me concentrer sur les reportages mode que je présentais dans l'émission *Montréal ce soir*, à Radio-Canada.

Puis Guy Banville s'est retrouvé à la direction des programmes de Radio-Cité qui allait devenir la Radio Rock-Détente. Il m'a proposé de revenir travailler pour lui. Je suis restée neuf ans (jusqu'en 1999) dans cette boîte où j'ai eu un plaisir fou. C'est donc là où je travaillais quand j'ai appris que j'étais atteinte du cancer.

Mes traitements ne m'ont jamais empêchée de travailler comme mannequin ou comme animatrice. Le seul moment où j'ai dû arrêter, c'est lors de mon séjour à l'hôpital pour me faire opérer. J'ai été absente une semaine.

Mes collègues de travail étaient au courant de mon état de santé. Je leur avais annoncé cette mauvaise nouvelle dès le lendemain que je l'avais apprise. Ce jour-là, nous avions une grosse réunion. J'étais terriblement nerveuse car j'attendais un appel du Dr Poisson. Pour être certaine qu'il puisse me joindre en tout temps, j'avais donné à sa secrétaire tous les numéros pour qu'il puisse me contacter où que je sois. En arrivant, j'ai prévenu mon patron, Guy Banville, en lui disant qu'il avait l'autorisation de l'annoncer à tout le monde. Ce qu'il a fait. Est-il utile de préciser que je ne suis pas restée longtemps au meeting?

Je suis heureuse d'avoir eu, pendant toute la durée de ma maladie, ce travail et ces collègues que j'aimais. Pendant quelques heures, grâce à l'ambiance et aussi au public qui écoutait, ça me permettait d'oublier, de m'évader de l'univers sordide de la maladie.

En 1995, j'ai finalement choisi de mettre un terme à ma carrière de mannequin. J'avais eu 10 belles années supplémentaires dans ce métier et, à 37 ans, j'avais l'impression d'en avoir fait le tour.

Et puis, j'avais de plus en plus d'engagements comme animatrice pour des défilés de mode, des soirées, des galas et des associations. C'est d'ailleurs au cours d'un de ces événements que j'ai rencontré Lise Giguère. J'avais accepté l'animation d'une conférence au Salon du livre de Montréal, où il fallait présenter Michel Montignac. À ce moment-là, Lise travaillait avec lui comme relationniste. Entre elle et moi, ç'a cliqué tout de suite.

Quelques mois plus tard, j'apprenais avec tristesse que la nouvelle direction de Cité RockDétente ne renouvellerait pas mon contrat. J'avais de la peine, je ne savais pas très bien ce qui m'attendait. En rentrant chez moi il y avait un message sur le répondeur. C'était Lise. Elle travaillait maintenant au magazine *7 Jours* et m'offrait d'écrire une chronique intitulée *La santé chez les artistes*. Elle croyait que, ayant moi-même été touchée par la maladie, je comprendrais et saurais mieux respecter la pudeur des artistes devant la maladie et qu'ainsi, les textes seraient plus «humains».

«T'es folle, je serai jamais capable!

– Ben voyons, tu fais des entrevues à la radio. C'est la même chose. Suffira que tu les écrives ensuite.

– Mais je ne saurai pas. J'ai bien trop peur!

– T'en fais pas. Je suis là. On va regarder tes textes ensemble.»

Puis Lise m'a patiemment enseigné les rudiments du métier et m'a transmis sa passion pour le journalisme. C'est ainsi que j'ai pu ajouter cette nouvelle corde à mon arc. J'ai eu et j'ai encore beaucoup de plaisir à faire ces entrevues qui m'ont permis de demeurer en contact avec le milieu artistique. C'est également grâce à ce nouveau travail que mon amitié avec celle que je surnomme affectueusement «mon mentor» a grandi jusqu'à lui permettre d'entrer assez profondément dans mon intimité pour écrire cette biographie.

Chapitre 25

Respecter ses engagements

Q UAND j'ai commencé mes traitements pour le cancer, j'avais cessé de fumer depuis un an, et j'avais pris un peu de poids. La combinaison du stress et des traitements m'a fait maigrir et j'ai pu retrouver mon poids initial.

Mais le Tamoxifen est un médicament qui affecte les hormones. J'ai beaucoup grossi. De 135 lb, mon poids a grimpé jusqu'à 174 lb. J'ai trouvé cela vraiment difficile. Je faisais face à une réalité que je ne connaissais pas. Je voyais mon corps se transformer, mes vêtements ne me faisaient plus, je ne me reconnaissais plus dans la glace. Toutefois, ma priorité était de vivre et il fallait que je mange pour être en bonne santé. En même temps, le Dr Poisson m'avait bien recommandé de faire attention à la prise de poids. D'une part parce que le sein traité à la radiothérapie ne changerait plus jamais de forme, d'autre part parce que l'obésité est également un facteur de risque pour le cancer du sein.

J'ai donc commencé à prendre bien soin de mon alimentation, non dans le but principal de maigrir, mais plutôt dans celui de privilégier les aliments qui fourniraient à mon corps les éléments nutritifs dont il aurait besoin pour mener son combat.

Comme j'ai toujours cru que les facteurs environnementaux pouvaient contribuer à développer le cancer, je me suis tout d'abord intéressée à l'alimentation biologique. Je me suis acheté les deux livres de Renée Frappier, *Le guide de l'alimentation saine et naturelle,* tomes 1 et 2, afin de me familiariser avec la nourriture vivante, les céréales complètes et le végétarisme.

J'ai rapidement compris le fonctionnement des protéines complètes et de tous ces aliments sains, qui fournissent l'énergie nécessaire au bon fonctionnement d'un corps en guerre et en reconstruction.

Malgré tout je n'ai jamais totalement abandonné la viande (j'ai toujours eu un côté très carnivore), cependant j'ai appris à insérer dans mon régime hebdomadaire des journées complètes sans en consommer. Bien entendu, j'ai toujours mangé en grand nombre fruits et légumes, biologiques ou non.

J'ai découvert un monde totalement inconnu et j'ai appris à me délecter de nouvelles saveurs. Croyez-moi, les aliments commerciaux traditionnels n'ont absolument pas l'apanage du bon goût! Au contraire, les produits biologiques ou naturels, s'ils sont bien apprêtés, se révèlent drôlement plus savoureux et satisfaisants, même si, il faut bien l'avouer, ils coûtent plus cher. Aujourd'hui, je ne saurais plus me passer de plusieurs recettes que j'ai découvertes grâce à ces livres.

L'an dernier, j'ai eu le plaisir de présenter Renée Frappier, conférencière invitée lors d'une journée du Réseau québécois pour la santé du sein que j'animais. Elle m'a encore appris des choses et, surtout, elle m'a bien fait rire quand elle a lancé, avec beaucoup d'humour, ce judicieux conseil : «On utilise plein de petits plats Tupperware pour conserver les fruits et légumes dans son frigo. C'est bien beau, mais il ne faudrait pas oublier tout de même de lever le "top pour wère" ce qu'il y a dedans. Sinon, ça ne sert à rien!»

En plus de modifier mes comportements alimentaires, je me suis également tournée vers l'homéopathie pour faciliter mon sommeil et contrer les bouffées de chaleur qu'entraîne inévitablement la prise du Tamoxifen.

En période de stress, on a souvent beaucoup de difficulté à dormir. Mais quand enfin le sommeil décide de se manifester, rien n'est plus frustrant que l'apparition de bouffées de chaleur qui nous sortent de notre léthargie en nous rappelant qu'on dormait peut-être un peu trop bien!

Même si l'homéopathie est maintenant accessible en vente libre dans les pharmacies, il est de première importance de consulter un bon homéopathe. Celui-ci détermine le type de traitement le mieux approprié d'après le tempérament, le physique, la personnalité et les humeurs. L'investissement initial en vaut réellement le coût.

Comme je l'avais fait auparavant pour remporter une couronne ou des titres, je me suis engagée profondément envers moi-même dans cette bataille. Avec curiosité, j'ai cherché et trouvé des outils que j'ai ensuite utilisés quotidiennement avec fidélité et confiance.

Cinq ans plus tard, quand enfin est venu le moment de cesser les médicaments, je croyais que mon corps redeviendrait immédiatement comme avant. Si ce fut le cas pour certains irritants comme les bouffées de chaleur, mon poids n'a pas diminué. Il a donc fallu que je me prenne en main.

Je me suis alors souvenue que j'avais eu quelques livres superflues quelques années plus tôt, alors que j'exploitais mon agence de mannequins. À ce moment-là, j'avais essayé l'ancienne méthode de Weight Watchers et je les avais perdues. C'est donc tout naturellement vers eux que je me suis tournée pour affiner ma silhouette… Encore une fois, j'ai bien écouté les conseils et je les ai appliqués à la lettre jusqu'à ce que j'aie été satisfaite du résultat.

Non, je n'ai plus la taille d'un mannequin, mais ça m'est égal car je n'exerce plus ce métier depuis des lunes. Cependant j'ai retrouvé un corps qui me plaît et je maintiens mon poids santé depuis ce temps.

Chapitre 26

La vie est si belle !

MOI qui avais si peur de mourir, j'ai dû regarder la mort dans les yeux, comprendre qu'un jour je partirais, accepter qu'encore aujourd'hui la mort rôde dans mon corps. Il m'a fallu apprendre à composer avec tout cela. Maintenant, je suis plus sereine face à la Faucheuse, mais je ne peux pas dire que je n'ai plus aucune crainte. Si on m'apprenait que je fais une rechute, je revivrais sûrement les mêmes angoisses qu'il y a 10 ans. Mais ma foi a tellement grandi que je n'y ferais plus face de la même façon.

Cependant, je ne veux toujours pas mourir. Je veux profiter de chaque jour pour louer mon Créateur, pour le remercier du don de la vie, de cette belle nature qu'il a créée, et surtout de l'immense chance que j'ai de pouvoir encore voir les arbres, entendre chanter les oiseaux, sourire aux gens autour de moi, admirer la campagne, contempler la mer, respirer tout simplement. J'aime vivre !

Avoir peur de mourir a fait grandir mon amour de la vie. Maintenant, je m'arrête régulièrement pour savourer les petits bonheurs anodins. Je n'ai plus du tout envie de me chicaner pour des choses sans importance, des niaiseries comme on dit.

Je préfère laisser tomber et entretenir la paix.

J'ai toujours été une personne déterminée qui ne se laissait pas marcher sur les pieds. C'était important pour moi de défendre mon point de vue, de prouver que j'avais raison. À mon retour de Miss Canada, je suis devenue, pour ma famille, un peu le mouton noir. J'avais vraiment un sale caractère et je sais qu'en de nombreuses occasions j'ai manqué de respect envers les idées des autres. La diplomatie et moi, ça faisait vraiment deux. Je croyais alors que c'était un moyen de prouver ma force de caractère.

Aujourd'hui, tout a changé. Je n'ai plus rien à prouver à personne, et surtout je sais que ça ne sert à rien de risquer de blesser quelqu'un pour la simple satisfaction d'avoir raison.

Je crois avoir conservé mon talent de leader, mais je ne me sens plus le besoin de me justifier, de faire ma place à tout prix. J'ai une place. La mienne. Et j'en suis pleinement satisfaite.

Peut-être qu'on pourrait m'accuser de manquer d'ambition, mais mon ambition est ailleurs: c'est d'être heureuse, d'être bien avec les gens qui m'entourent, que j'aime et qui m'aiment.

Le temps m'est devenu précieux. Les conflits, les discussions, les chicanes m'épuisent. J'ai envie que les choses soient douces, que l'harmonie, la joie de vivre et le bonheur règnent autour de moi. J'aime quand les gens sont heureux. J'ai appris à être plus serviable et plus généreuse, et ça me rend très heureuse.

Plus jeune, je voulais être célèbre, être une vedette de la télé, être la meilleure… Aujourd'hui, tout cela ne veut plus rien dire pour moi. Par le fait même, j'ai aussi compris que je n'avais pas besoin d'autant d'argent pour vivre. Dix pantalons ou 50 paires de chaussures ne me rendront pas plus heureuse. De toute façon, comment pourrais-je bien les porter tous ensemble? J'ai donc diminué mes heures de travail pour profiter davantage de la vie, pour peindre, pour consacrer du temps à mes amis, à ma famille et, surtout, à mon homme.

C'est pour toutes ces raisons que j'ai commencé à donner des conférences relatant mon expérience. Au début, les gens me regardaient d'une façon étrange, ils étaient surpris que je ne sois pas gênée d'avouer publiquement que j'ai eu cette maladie. Le cancer du sein avait toujours été tabou parce que trop relié à la sexualité. Une femme qui avait cette maladie, ça voulait dire qu'elle était mutilée, donc qu'elle n'était plus désirable.

Je trouvais important qu'on en parle, que les femmes sachent qu'elles ne sont pas toutes seules. Heureusement que maintenant tout a changé. Les femmes s'affichent même fièrement en portant le petit ruban rose. On peut survivre au cancer du sein.

Quand on se donne plus de temps pour soi, on se découvre des aptitudes qu'on ne croyait jamais posséder. C'est ce qui m'est arrivé avec la peinture. Je me suis mise à dessiner et j'ai aimé cela. Depuis trois ans, je suis des cours et je peins dans la quiétude de mon petit atelier, chez moi. Ça me rend fière. Jamais je n'aurais pensé pouvoir un jour créer des tableaux, mais c'est un réel bonheur. Avec mon mari, on fait du vélo en été, du ski en hiver, de longues marches, et on voyage. On prend la vie tout doucement et, surtout, on en savoure chaque instant.

Épilogue

EN janvier 2003, je célébrerai mon 10e anniversaire sans cancer. C'est une date que je ne manque jamais de souligner. D'ailleurs il n'y a que deux anniversaires que je célèbre tous les ans: celui-ci, car je considère que je contribue à préserver ma santé physique, et celui de mon mariage, car je considère que je contribue à la santé de mon couple. Pour le reste, ma vie est tous les jours une fête perpétuelle.

J'ai toujours eu la tête pleine de projets, mais la maladie a freiné, pendant un long moment, mon envie de penser à long terme. Je ne vivais que pour le moment présent.

Je vis toujours intensément le moment présent, mais je me suis surprise dernièrement à avouer candidement aux gens qui m'entourent que «un jour je serai une artiste». Je faisais allusion à ma peinture, bien sûr, et en m'entendant dire cela j'ai eu l'impression d'entendre cette jeune femme pleine de vie qui, 25 ans plus tôt, avait dit à ses collègues de travail: «Un jour, je serai vedette!» Il en aura fallu du temps avant que je réussisse à me projeter dans l'avenir, mais le temps de guérison et de bien-être diffère pour chaque individu.

La maladie a bousculé mes habitudes. En fait, elle a changé ma vie. Au début, quand on vient d'apprendre qu'on a le cancer, on ne fait qu'y penser continuellement. On dirait qu'on devient fou et on se demande si viendra le moment où l'on pourra enfin vivre toute une journée sans penser à ce mot-là. Puis la vie étant ce qu'elle est, on s'habitue à la maladie. On finit par l'apprivoiser, mais pour y arriver il n'y a rien d'autre à faire que de se donner du temps.

Il m'a fallu deux ans avant d'avoir le sentiment que j'avais un peu repris ma vie en main, c'est-à-dire que je pouvais passer des journées entières sans penser que j'avais le cancer.

La chose qui m'a certainement le plus aidée à traverser les différentes étapes, c'est d'en avoir parlé ouvertement aux gens qui m'entouraient. Rapidement, je me suis également investie auprès de différents organismes pour raconter mon expérience et promouvoir l'autoexamen des seins.

Selon moi, cet examen est essentiel chez les femmes de tous âges, et plus particulièrement chez celles qu'on ne considère pas comme faisant partie d'un groupe à risque. Le but de l'exercice est d'acquérir une image mentale de ses seins, de bien les *voir* avec ses doigts, afin de pouvoir détecter rapidement tout changement anormal.

Il est important de se rappeler que plus les tumeurs sont petites, plus grandes sont nos chances de guérison et moins mutilantes sont les chirurgies. Cet examen devrait être fait tous les mois, de 7 à 10 jours après le début des menstruations et, pour celles qui sont en ménopause, le 1er de chaque mois, qui est une date facile à retenir.

Au début, il n'est pas facile d'examiner ses seins, mais si vous le faites tous les mois, vous aurez pratiqué 12 examens en un an. Vous serez alors la mieux placée pour sentir toute modification dans leur structure et ensuite en informer votre médecin traitant.

Si vous découvrez la moindre petite chose, n'hésitez pas, consultez. Ne vous fiez pas à une simple mammographie et ne vous contentez jamais d'un «ne vous inquiétez pas madame». Inquiétez-vous! Exigez des examens complémentaires, il en existe plusieurs qui sont facilement accessibles si vous en faites la demande.

Si vous ne vous sentez pas en confiance avec votre médecin, allez en voir un autre. Après tout, pourquoi vous satisfaire de quelqu'un qui ne peut pas ou ne veut pas répondre à vos questions? C'est votre corps. Soyez exigeante.

Aujourd'hui, je reste vigilante et je participe activement à mon bien-être. Même si j'ai repris certaines bonnes vieilles habitudes, j'en ai tout de même conservé plusieurs qui me permettent d'affirmer que j'ai un bon régime de vie.

Rappelez-vous que la vie est belle et qu'il est dommage d'être obligée de traverser une grande épreuve pour savoir mieux l'apprécier.

Grâce à l'expertise du Dr Poisson, j'ai conservé mon sein, mais j'ai connu une bonne partie de l'arsenal qu'on met en place pour combattre l'ennemi: tumorectomie, dissection axillaire, radiothérapie et Tamoxifen, et ce, durant cinq longues années.

Pour célébrer ce cinquième anniversaire qui marquait la fin des traitements et une année de plus à avoir vécu sans cancer, j'ai décidé qu'Yves et moi nous recommencerions là où normalement nous aurions dû avoir un plaisir fou : je l'ai remmené une semaine en croisière dans les Caraïbes.

Cette fois, j'ai fait mes bagages dans la joie et c'est en pleine forme que je suis montée sur le bateau en tenant fièrement le bras de cet homme qui m'a accompagnée dans toutes les étapes de cette épreuve, me prodiguant sa force, son courage et son amour. Même si le soleil brillait dans le ciel, il n'était pas question que je porte mes lunettes de soleil. Je voulais que tout le monde puisse voir mes yeux pétillants de vie.

Cette fois-ci, la peur, la tristesse et la mort n'étaient pas au rendez-vous, il n'y avait que le bonheur, l'amour et la Vie !

Annexe

Quelques outils

AVANT de vous quitter, j'aimerais vous offrir la liste de quelques livres qui m'ont aidée à comprendre davantage la maladie. Ils apporteront certainement des réponses à vos nombreuses questions.

Dr CARL SIMONTON, STÉPHANIE MATTHEWS SIMONTON ET JAMES CREIGHTON, *Guérir envers et contre tous – Le guide quotidien du malade et de ses proches pour surmonter le cancer*, aux éditions EPI.

L'introduction, très émouvante, est plutôt difficile à lire, mais n'abandonnez pas, poursuivez votre lecture.

Dr ROGER POISSON, *Le cancer du sein – S.V.P. ne pas mutiler*, aux Éditions du Méridien.

D^{re} ROSEMONDE MANDEVILLE, *Le cancer du sein – Le comprendre pour le prévenir et le guérir*, aux Éditions La Presse, parrainé par la Société canadienne du cancer.

BETTY ROLLIN, *FIRST YOU CRY*, chez Harper Collins Publisher (Harper Paperbacks).

J'ai lu ce livre en anglais et je ne sais pas s'il est offert en français.

RENÉE FRAPPIER, *Guide de l'alimentation saine et naturelle*, tome 1 & tome 2, aux Éditions Asclépiades.

Des organismes

Besoin d'aide ? N'hésitez pas à contacter ces quelques organismes dans lesquels des personnes ressources travaillent très fort pour offrir le soutien nécessaire aux personnes atteintes de cancer et à leurs proches.

La Fondation du cancer du sein de Montréal
(514) 871-1717
www.rubanrose.org

Le Réseau québécois pour la santé du sein
(514) 844-9777
1 877 844-9777
www.simbolique.ca/rqss

Société canadienne du cancer
1 888 939-3333
www.quebec.cancer.ca

La Fondation québécoise du cancer
1 800 363-0063
www.fqc.qc.ca

Belle et bien dans sa peau
1 800 914-5665
www.lgfb.ca/french

Table des matières